Corações de Lata

Corações de Lata

1ª edição: Março 2022

Autor:
Júlio Pompeu

Revisão:
João Paulo Putini e Letícia Teófilo

Ilustração de capa:
Renata de Mello do Vale

Projeto gráfico e capa:
Jéssica Wendy

DADOS INTERNACIONAIS DE CATALOGAÇÃO NA PUBLICAÇÃO (CIP)

Pompeu, Júlio
Corações de lata / Júlio Pompeu ; ilustrações de
Renata de Mello do Vale. — Porto Alegre : Citadel, 2022.
192 p.

ISBN: 978-65-5047-131-6

1. Crônicas brasileiras 2. Contos brasileiros I. Título II. Vale,
Renata de Mello do
22-1174 CDD B869.8

Angélica Ilacqua - Bibliotecária - CRB-8/7057

Produção editorial e distribuição:

contato@citadel.com.br
www.citadel.com.br

Júlio Pompeu

Corações de Lata

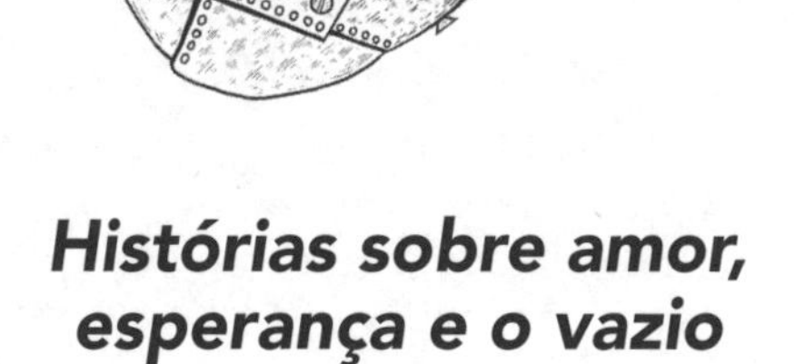

Histórias sobre amor, esperança e o vazio

2022

Sumário

Introdução em poucas linhas

- Clóvis de Barros Filho

São histórias. Até aqui, mera constatação. Para atribuir-lhes algo mais, teria que correr riscos.

Não sei, por exemplo, se todas cumprem os requisitos de uma crônica. Deve havê-los, os tais requisitos. Mas eu os ignoro. Saberão, com mais certeza, as pessoas de letras, se as histórias do Julio são mesmo crônicas ou outra forma qualquer de contar o que aconteceu.

Certo é que são histórias, como ia dizendo. E bem contadas. Uma pitada de valor. Para sairmos do lugar. Nada além da minha avaliação. E olha que sou leitor assíduo de especialistas.

Histórias aliás muito bem contadas. Para abandonar de vez a morna moderação. Dessas que dão gosto ler de novo, sempre que a autoria supera a leitura. Quando a sutileza do texto vai além do descaso desdenhoso da degustação. Dá-lhe a volta e sugere repetição.

Histórias que, no final, são só palavras. Portanto, símbolos. Que como todos, estão no lugar de alguma outra coisa. Narrativas em parágrafos, destinadas a quem não viu ocorrer. Frases para fatos escapadiços. Desses flagrados só por poucos.

E quanto mais delicado o vínculo entre o que é dito e o que esse dito quer dizer, mais exigente o texto. Maior a contrição solicitada.

As histórias do Julio são assim. Leves na primeira camada. Mas só para nela quem quer, ou não pode ir mais longe.

Quanto ao texto, esse se adequa a todos os repertórios. Atende a paladares de muitas notas. Do tosco raiz ao cume de ar rarefeito. Há significado a encontrar para geólogos de todos os naipes.

Haverá quem venha sentir falta, nos parágrafos que introduzo, do lado bom das coisas. Das alegrias do mundo. De esperanças infantis e dos deslumbramentos coloridos. Haverá quem denuncie o ranço de tristeza intelectual camuflado com ironia de areia fina. De quem nunca vê o progresso, a melhora, o aperfeiçoamento.

Sempre haverá.

Pois a esses queixosos um alento.

As páginas que seguem lhes são amplamente dedicadas. Uma homenagem. Chafurdados e felizes se encontram na lama quente da primeira camada, vislumbram com receio o que está por baixo, sem ousar descobri-la. Assim já faziam os auditórios de Molière: rindo-se da encenação dos Tartufos, dos doentes imaginários e dos burgueses fidalgos que nunca deixaram de ser.

Julio, o autor, eu conheço bem.

Um desses acasos de amizade em que o universo dispõe-se a compensar todas as devastações de uma só vez.

Genial professor, iluminado pensador, é mesmo como amigo que sua natureza alcança todo o fulgurante esplendor. Inócuo seria, portanto, enaltecê-lo ainda mais. Proximidade excessiva compromete a isenção.

Resta, então, apressar o que importa. O texto ele mesmo. Pondo termo enfim as delongas introdutórias, despiciendas ao leitor que sabe bem o que quer.

Páginas que mais servem de carona simbólica a docentes aposentados e de esquenta requentado aos que só caíram aqui por acaso.

Uma terapia política

Você já deve ter ouvido falar que o Brasil não é para amadores. Nas vezes que ouvi, a frase se referia a alguma pirueta econômica ou política. Coisa de ricos ou poderosos. Demarcava os limites de um jogo que não está aberto a estrangeiros e tampouco à maioria dos brasileiros. Coisas que surpreendiam, às vezes indignavam, mas não tão surpreendentes nem indignantes ao ponto de adoecer alguém.

O Brasil de hoje é um pouco diferente. O espantoso colonizou dimensões da vida social para além da economia e da política. Tornou-se polarizado, lacrador, mitador, cancelador, cruel e perverso. As relações afetivas ficaram em segundo plano, desunindo famílias e amigos por diferenças sobre a pauta pública que até bem pouco cabiam bem no baú das indiferenças.

Mais do que confuso, o quotidiano tornou-se doentio e adoecedor. Mesmo antes do coronavírus, que sufoca e mata, um vírus causador de ansiedades, fobias e depressões já estava circulando livremente entre nós. Um vírus moral. Algo para o qual ainda não temos vacina nem máscara. Quando muito, o distanciamento social, cada vez mais difícil num mundo que ao menos virtualmente elimina distâncias e nos aproxima de pessoas e fatos que nos são tóxicos.

Foi por um tanto de espanto, outro de esperança, grandes doses de necessidade e uma angústia enorme que algumas pessoas decidiram criar um blog. O objetivo era enfrentar a realidade dura pelo entendimento. É a terapia possível. Como o vírus moral se espalha entre nossa convivência, sua natureza é política. Daí o nome Terapia Política. Na verdade, é política para quem lê e terapia para quem escreve. Ou o contrário?

Fato é que me convidaram para participar do projeto logo no começo. A pandemia de covid-19 mal tinha deixado de ser um problema distante envolvendo a China, morcegos e europeus reclusos para tornar-se parte fundamental de nosso quotidiano. O clima não poderia ser mais favorável e necessário.

Assumi o compromisso de escrever toda semana, com uma disciplina que, confesso, não me é comum. Mas terapia é assim mesmo. Precisa de seriedade, disciplina e regularidade nas doses.

Como meus colegas de blog eram bem mais sábios do que eu no tema central, política, decidi que eu deveria fazer algo diferente para não denunciar minha mediocridade. Resolvi contar histórias. Inventadas. Algumas fantásticas. Mas todas nos falam de alguma coisa verdadeira. Não nos fatos que, quando há, estão distorcidos, mas nas tais entrelinhas.

Eu não sei se sei o que são as entrelinhas. Imagino como o instante em que se respira entre a leitura de uma linha e outra e uma ideia lhe toma de assalto. Algo que não estava ali no texto, dito com todas as letras, mas estava lá, no que ele não diz ou no que insinua. Seja como for, você encontrará.

Os textos foram testados antes em valentes cobaias. Que com a intimidade que só os amigos costumam ter, leram e comentaram. Quando não gostavam, por educação, calavam-se.

O curioso eram os comentários sobre as entrelinhas. Frequentes e desencontrados. Muitas vezes, perceberam coisas que juro jamais terem passado pela minha cabeça. Independentemente de coincidências com meus pensamentos, concordei com todos. Afinal, um texto são só palavras. O significado delas está no espírito de quem as lê. E quem sou eu para corrigi-los?

Os capítulos são curtos. Coisa de quinhentas palavras, mais ou menos. Porque disseram-me que textos maiores do que isso ninguém mais lê. Não sei se é verdade, mas obedeci.

Seja lá como for, o tamanho me pareceu adequado. Como o momento que vivemos desperta ansiedades, espantos, tristezas, medos e por aí vai, é prudente que as doses sejam homeopáticas. Também há partes que despertam alegria, mas como a realidade está difícil, não me parece conveniente provocar o riso em demasia. Flagrado às gargalhadas nestes tempos cheios de notícias tristes, poderiam pensar que você enlouqueceu.

Perfume de hortelã

Todos os dias, os sinos de uma distante cidade badalam ao entardecer. Anunciam a chegada da noite e com ela os medos do escuro. Quem vive lá acredita que os sinos lhes protegem e garantem a noite sem pesadelos e mortes.

– Ninguém morre à noite por aqui? – perguntou o estrangeiro.

Um dos velhos sábios explicou que, às vezes, à noite, poderia acontecer de alguém partir em viagem deixando para trás o seu corpo, lembranças e algumas tristezas.

– Morto, então? – insistiu o estrangeiro.

– Não. É somente uma viagem sem volta. Deixa um corpo sem alma. Inerte, sem viço e com um leve cheiro de hortelã. O corpo não morre porque nunca teve vida. A alma é quem vivia através dele e continuará vivendo sem ele. Já a morte é diferente. Acontece quando a alma está perdida na escuridão. Confusa e amedrontada. Como num pesadelo sofrido.

O estrangeiro se lembrou de sua terra. Saiu para voltar quando o mal não estivesse mais por lá. Um ou dois meses, pensou há quatro meses. Percebeu que deixou uma terra de corpos doentes repletos com almas mortas.

É difícil saber quando as almas morreram, pois esse tipo de coisa acontece aos poucos. Morre-se um pouquinho a cada dia triste e os dias são entristecidos mais pelas pequenas crueldades do que pelas vilanias espetaculares que monopolizam nossa memória.

Talvez tenha começado com gente que mentia e corrompia. Ou com tragédias transformadas em espetáculos. Quem sabe tem origem ainda mais antiga. Talvez fosse um mal adormecido à espera de um acordar aleatório para devorar almas.

Fato é que as almas cheiravam a podridão e putrefaziam entristecendo, enraivecendo e eliminando corpos, que se amontoavam em valas abertas às pressas.

Houve tempos em que a morte despertava compaixão por se reconhecer na dor sofrida pelo outro, uma dor que se poderia ter. A morte de uma pessoa pode ser comovente, mas a de centenas torna-se um espetáculo, e a de milhares, um gráfico.

Banalizada, nem mesmo a morte de conhecidos traz tristeza. Rendem alguma solenidade e pêsames tão cheios de formalidades quanto vazios de afeto.

Mas há os acometidos de tristeza chorosa pela morte de quem se ama. Uns poucos, porque pouco se ama por lá. Esses sofrem quase sozinhos. Desamparados na brutalidade de viver entre almas mortas.

Para fugir da tristeza, tornou-se estrangeiro em outras terras. Como não tinha para onde voltar, não voltou. Também não ficou na cidade. Seguiu, não se sabe para onde, procurando não se sabe o quê.

Mas o velho sábio, de quem ficou amigo, soube desde o começo que aquele estrangeiro procuraria a proteção dos sinos, que não teria pesadelos e que saberia que sua viagem sem volta lhe chegaria doce como o perfume de hortelã.

Homem de bem

Silas é homem de bem. Engenheiro formado. Melhor que muita gente. Melhor que todo mundo. Tem resposta pra tudo. Sabe tudo. Não acredita em nada que não venha de sua cabeça ou de seu celular, espécie de puxadinho da cabeça.

Cristão convicto, cita textos do Velho Testamento inventados a partir do que se lembra. De senso prático, como bom engenheiro, aplica suas ideias de fé no julgamento do quotidiano alheio.

"Conhecereis a verdade e a verdade vos libertará!", recita como um alerta de Deus sobre a conspiração comunista. Plano diabólico para dominar através da televisão, dos jornais, dos cientistas, dos professores, dos jovens, dos livros, dos filmes, das artes, da poesia...

Defensor incondicional da família. Expulsou de casa o filho *viado*, mas não sem antes dar-lhe um corretivo de quebrar costelas. Sobrou também para a esposa, culpada pelo filho ter escolhido amar outro homem.

Com tanta violência neste país, queria muito uma arma. Sonhava com o dia em que meteria três pipocos num desses bandidinhos. E só de pensar nisso se animava em visitar a amante.

Andava deprimido. O país parecia enlouquecido. Pra todo lado um papo besta de respeitar as minorias. Pobres, pretos, mulheres, gays, índios. E ele? Branco, quem o defenderia? Pra todo lado, inversão de valores. Bolsa família para gente preguiçosa. Bolsa bandido para preso. Corrupção. Tudo isso pago com o dinheiro dele, dizia. Por isso, sonegava impostos.

Empregado, viu sua empresa crescer e cortar custos demitindo gente velha de quarenta anos. Mas isso não era com ele, que só tinha 35.

Pra resolver tudo neste país, só matando bandidos e políticos. Acha que só os militares podem dar jeito porque só eles têm as armas mais poderosas. No tempo deles é que era bom!, diz com saudades de um tempo que não viveu.

Encheu-se de esperanças nas eleições de 2018. Finalmente o país parecia ter acordado para todos os absurdos. De verde e amarelo, protestou contra tudo isso que está aí. Nas ruas e nas redes, fez campanha para seu candidato ameaçando quem pensasse diferente.

Quando veio a pandemia, ficou em casa. Teve medo no começo, mas só no começo. Logo percebeu que era mais uma conspiração para afastar o Brasil de Jesus. Mesmo assim, ficou em casa. Firma e bares fechados, amante doente, não tinha para onde ir.

O vazio dos dias lhe doía. Pensava, porque pensar era só o que tinha pra fazer, mas isso o irritava. O corte de salário irritava. A esposa irritava. Não ter uma arma irritava.

Assim que os bares abriram, correu satisfeito. Sem máscara, aglomerou-se. Estava gripado, nada grave. Disseram que poderia ser o tal vírus. Que daquele jeito poderia até matar alguém. Ouviu isso pensando na arma que não tinha e na cusparada que daria na cara do fiscal que lhe viesse estragar a noite.

Comercial de margarina

Renata acordou risonha. Engenhocas na cozinha, programadas e alimentadas de ingredientes na noite anterior, anunciavam com *bips* café e pão fresquinhos. Bem na hora em que desligou o secador de cabelo. Demorou-se a levar à boca o pão só pra contemplar a manteiga derretendo na fatia. O sol brilhava forte na manhã fria compondo um cenário feliz como o de um comercial de margarina.

Ainda sentindo o gostinho bom da pasta de dentes, ligou o rádio do carro. Propagandas animadas por trilhas sonoras pobres e notícias tristes. Ouviu a contabilidade de mortos pela pandemia. Discussões entre gente que dizia que o governo fazia tudo certo e gente que dizia que o governo fazia tudo errado. Todos irritados e irritantes.

Entrou no elevador amplo com desconfiança sanitária. Reencontrou colegas de trabalho sem saber como cumprimentar ou o que significava não ser cumprimentada de perto. Teve vontade de abraçar alguém.

Almoçou na rua. Ar livre. Com barulho e poeira. De longe, via um noticiário na TV em que as imagens eram desencontradas das legendas em *closed caption*. Um apresentador entre o cômico e o dramático mostrava assassinatos na periferia e fazia cara de indignado enquanto imagens de corpos ensanguentados e gente desesperada se repetiam.

Tentou fazer sugestões sobre os números e gráficos para o executivo jovem de cabelos milimetricamente penteados e untados com pasta. Ele ouviu atento aos seus peitos com um olhar de lobo. Só que sem a ingenuidade dos lobos.

Pensou em comer alguma coisa na cafeteria da Lorena. Na mesa ao lado, entre a tristeza e o constrangimento, um marido ouvia a esposa dizer com voz dura e alta que não o queria mais. O café chegou frio à mesa.

No trânsito, um taxista se sentiu ofendido pelo jeito de uma mulher dirigir. Foi até ela bufando e pisando duro. Apontando o dedo como se fosse uma britadeira ameaçando a cabeça da moça. Disparava xingamentos contra todas as mulheres. Pessoas buzinavam, irritadas pelo trânsito que não transitava.

Chegou cansada como sempre. Como sempre, tomou banho e comeu uma besteira congelada com gosto de fábrica. Ligou a TV. Como sempre, absurdos políticos.

Pensou em como na sua vida tudo é como sempre. E sempre é vazio. Procurou entre o 2784 amigos do Facebook alguém com quem conversar. Mandou uma mensagem para um ex-namorado e uma ex-vizinha. Depois de duas horas sem respostas, desistiu.

Pensou em sair, mas não tinha para onde ir. Tomou uma cerveja e zapeou a TV a esmo. Deixou num canal qualquer só pra fazer barulho. Abriu outra cerveja sem saber por que estava chorando.

Alimentou as engenhocas da cozinha e tomou dois comprimidos para dormir. Colocou um travesseiro entre as pernas, como se fosse uma coxa excitante, e abraçou outro como se fosse um urso de pelúcia.

Aguardou o sono cheia de esperanças de que a manhã seguinte pudesse ser feliz como um comercial de margarina.

Leis e homens

A manhã era perfeita para caminhar ao ar livre, mesmo a pandemia tendo tornado o ar livre menos livre. O homem de leis preparou-se para caminhar. Camiseta, tênis e short. Sem máscara, porque é coisa indigna e desconfortável. Não é pra ele.

Sabe que a lei do lugar obriga o uso de máscara. Mas só para os outros, que não são sábios de leis como ele. Acostumou-se a ver diante de si uma gentalha metida em brigas contadas em tediosos processos. Superior, diz para os outros o que tem que fazer. No passado, aplicava leis. Hoje, sabe que as faz e desfaz para os outros, conforme o que vê e crê.

O guarda vestiu sua farda. Impecável em cada vinco. Detestava passar roupas, mas ele mesmo o fazia. Por dever. Pôs a máscara e saiu pontual, como sempre, aquela manhã perfeita para trabalhar ao ar livre.

Na orla, pouca gente. Atletas de fim de semana e outros mais frequentes desanuviavam a mente mexendo o corpo. Crianças entediadas experimentavam um pouco de liberdade. Todos iam e vinham com receio de adoecer. Máscaras de todos os tipos escondiam bocas e narizes. Alguns olhares mascarados ganhavam ar de mistério. Outros, mostravam respiração incômoda.

A viatura de Pedro também ia e vinha. Lentamente. Vigiando possíveis perigos enquanto jogavam conversa fora. De longe, viram o homem de leis. Sabiam quem era. Entenderam que aquele seria um dia difícil.

O homem de leis, sem máscara e pudor, tentou impor-se. Carteira. Telefonema para quem manda. Cabeça inclinada pra cima só pra olhar de cima pra baixo gente mais alta que ele. Porque seus olhos precisam ser vistos de baixo por gente inferior, ordinária e analfabeta nas coisas que pensa saber.

Cumpriu com seu dever de multar com a indiferença de uma máquina. Mas por não ser máquina, entristeceu-se por dentro. Suportou o peso do desprezo só porque era necessário suportar. Calado.

Entregou-lhe um pedaço de papel fino, no que deveria ser o ponto-final daquele encontro desagradável. O homem de leis o pegou apenas para rasgar e atirá-lo ao chão. Ato último de afronta. Só para ter a palavra final, ainda que sem palavras. O guarda incomodou-se com o papel sujando o chão.

O gosto da humilhação ficou na boca pelo resto do dia. Sabia que estava certo. Diz que não liga para o que os outros pensam, mas é só da boca pra fora. Por dentro liga. O que outros lhe fazem anima ou desanima o dia. Aquele estava irremediavelmente desanimado.

Tudo foi filmado. Por prudência e medo. Sabem que neste mundo pervertido o poder sempre ganha da moral. Também sabem que neste vazio de valores, onde só as aparências contam, as imagens são mais poderosas do que as palavras.

Arrogância é de uma breguice suprema! Coisa feia de se ver. Mas nas sombras do quotidiano, as feiuras dominam sem nem ao menos esconder o sarcasmo com uma máscara.

Hambúrguer frio e batatas murchas

Fama de maluco sempre teve. Agora virou distinção. Ninguém costura no corredor como ele. Ziguezagueia sua 125 cilindradas com ousadia. Tomba moto para um lado e corpo pro outro, pra logo depois inverter os movimentos sem arriscar o bagageiro cheio de pizzas e refrigerantes.

Começa cedo. Pouca gente se dispõe a entregar de manhã porque o movimento é pequeno. Só uma ou outra padaria tem pedidos. Ganha-se pouco. Mas pra quem batalha que nem ele, qualquer grana é bem-vinda.

Até pouco tempo, o trampo era de bicicleta. Pedalava o dia todo pra ganhar uma mixaria mais mixa que a que ganha hoje. Como morava muito longe dos restaurantes, saía de madrugada, entregava enquanto houvesse entregas por fazer ou as pernas aguentassem. E aguentavam muito. Já tarde da noite, não valia a pena voltar pra casa. Dormia na rua mesmo. Com o tornozelo acorrentado à bicicleta.

Conseguiu juntar dinheiro pra comprar uma moto. Uns bicos como pedreiro, o empréstimo do cunhado e a venda da bicicleta ajudaram. Agora consegue voltar pra casa todos os dias. Na verdade, a casa é do cunhado. Dele mesmo, só a moto, o celular e a disposição.

Noutro dia lhe entregaram o pacote dizendo qual era o nome do prato. Coisa rara que ele encarou como alerta. Nunca tinha ouvido aquele nome. Pensou em perguntar o que era. Não deu tempo. Nunca dá tempo. O prato tinha nome de bosta, mas não cheirava mal. Mesmo assim ficou com medo de empestear o baú.

Contou para um amigo sobre a encomenda. Repetiu o nome várias vezes, do jeito que lembrava. Até que o amigo cravou: escargô? Isso! Explicou que eram caracóis. Entendeu o risco. Se saíssem andando, ele é quem pagaria pela fuga. Não importava o que acontecesse, a culpa e o prejuízo eram sempre dele.

Aprendeu isso ainda na bicicleta. Desviou para não ser atropelado por um ônibus e bateu a roda num bueiro. Capotou aos rodopios. Ele para um canto, bicicleta para o outro. Machucou feio.

Ligou pra avisar. Perguntaram se o lanche estava bem. Hambúrguer com fritas. Não estava. Não ganhou pela corrida. Descontaram o lanche. O mesmo valor de um dia de trabalho. Limpou o sangue da cara, e mesmo com dor e roda empenada continuou. Pelo menos, comeu o hambúrguer frio e as batatas murchas que tinham se esparramado pelo asfalto.

Um pessoal lhe falou em greve. Que era para todo mundo parar. Quem não parasse era vacilão. No começo, quando o aplicativo era novidade, ganhava mais. Agora, com mais gente, o que pagam só diminui. Mesmo o trabalho sendo o mesmo.

Viu que a coisa era séria quando a notícia pipocou na tela do celular. Jornalista engravatado dizia que era um absurdo os entregadores pararem em plena pandemia, quando as pessoas mais precisavam deles.

Lembrou-se do escargô. E da gente que come escargô. O jornalista tinha cara de quem come escargô. Novo pedido. Saiu ziguezagueando, se sentindo maleável como um escargô, só que menos importante que hambúrguer frio e batatas murchas.

Sete a um

Não sou vegetariano, mas entendo e respeito sua moral. Sei que um animal sofreu para que o churrasco fosse possível. Como não evoluí ao ponto de renunciar a uma chuleta, o que posso fazer para me aproximar da moral vegetariana é respeitar o churrasco.

O ponto da carne, a suculência e o tempero são, para mim, uma questão ética. Uma carne esturricada, mal cortada e malfeita é uma indignidade. Desrespeito ao bovino que sacrificou a sua vida pelo nosso almoço.

Foi essa preocupação que me afastou da televisão. O jogo já havia começado. Galvão Bueno empolgado como... bem, como ele mesmo. Brasil era favorito, diziam os expertos em futebol. Seus saberes práticos, estatísticos, históricos e místicos não deixavam dúvidas de que mais uma vitória estava a caminho.

Se na TV tudo prometia dar certo, na churrasqueira anunciava-se uma catástrofe. Carnes maltratadas por um churrasqueiro amador e bêbado que há instantes demonstrara dificuldades em distinguir picanha de fraldinha.

Era preciso agir. A dignidade do sacrifício bovino estava em jogo. Peguei o espeto e cortei finos pedaços da peça de picanha mal enconchada. Estava naquele ponto perfeito. Um minuto a mais e a suculência já era.

Quando voltei à sala, o clima não era dos melhores. Um a zero para a Alemanha. Tudo bem. Um vacilo. Tem muito jogo ainda. Nada que pudesse atrapalhar o bolão, no qual eu cravei um tímido mas patriótico dois a um. Dava pra tomar uma cerveja e tirar o sal da boca.

– Ainda estão passando o replay do gol da Alemanha? – quis saber quando finalmente voltei para a sala e me encaixei no aconchego do sofá para aguentar ali até o fim do primeiro tempo.

– Não. É outro gol da Alemanha.

– Dois a zero? – perguntei, preocupado com o bolão.

– Não. Três a zero.

– Oi?!

Deu no que deu. Sete a um. Humilhação para despertar nosso complexo de vira-latas. Que nem dormia profundamente, apenas cochilava com um ufanismo econômico embalado por um tal de pré-sal que garantiria estrada pavimentada para um futuro glorioso e rico.

Em vez de glória e riqueza, tivemos corrupção espetacular, crise econômica, moral, outra crise econômica, ambiental, sanitária e nova crise econômica. Uma sucessão de fracassos colossais. Como nação, como povo e como humanidade.

Li muito tentando entender o que deu errado. Não a história de cada erro, mas o porquê da sequência ladeira abaixo. Li economistas, que sempre alertam para riscos e apontam indicadores positivos – que não sei bem o que significam. Li historiadores que comparam e filósofos que conceituam. Nada me pareceu suficiente para entender a tragédia nacional.

Na falta de explicação, tenho ao menos uma pista. Aquele sete a um. Em algum momento, em algum pedaço de instante entre uma TV ligada e um corte de picanha queimada, algo aconteceu. Não sei onde. Não sei por quê. Só sei quando.

Foi ali, naquele dia, sob os lamentos de Galvão Bueno, que algum cristal se quebrou, o encanto acabou e o futuro se perdeu.

Home office

A vida já caminhava para o virtual. Jornais e revistas, só pela internet. No trabalho, os memorandos tornaram-se e-mails. Depois, mensagens no Zap Zap. Ensebados processos foram virtualizados, esvaziando mesas. Quando veio a pandemia, mesa e sala tornaram-se obsoletos. Pedro agora só trabalha em casa.

Vestiu-se para a reunião virtual. Camisa social e cueca furada. A pior que tinha. Escolhida a dedo para a ocasião. Não pela afronta, que só existiria se alguém o visse de corpo inteiro, mas pela satisfação de sentir-se libertário e libertino. No meio da reunião, tirou também a cueca.

Imaginou gente chata escrevendo os textos tediosos que ele lia de má vontade. Sobravam-lhes calças e saias, pensou. Fechou todas as cortinas do pequeno apartamento e tirou a camisa social. Trabalho agora, só pelado!, decretou.

Na tela, pipocou mensagem. Notícia de explosão lá longe. Bip anunciou novidade no zap. Respondeu e leu outras. A maioria, gente tentando ser engraçada ou dando boa-noite. Foi aí que percebeu que já era noite. Pouco importa! Na vida on-line, a noite só vem quando desliga a tela.

Abriu o Face, só pra ver coisas engraçadas. Não estava com paciência pra ler discurso mal escrito de gente indignada. Deixou aberto e foi pro Insta. Colocou música pra ouvir alguma coisa diferente de um bip. Assistiu a vídeos só pra ouvir uma voz humana.

Pensou em correr pelado na rua, gritando e com os braços abertos. Outro bip o trouxe de volta à tela. Mais textos chatos e planilhas. Fechou o site do trabalho sem nem ver as horas. Buscou gente na internet.

Sentia falta de conversa de verdade. Nas reuniões de trabalho as conversas não são verdadeiras. Há hierarquia e protocolos demais para que alguma coisa ali seja genuína. Desfile virtual de gente tentando ser vista como inteligente e competente. Com camisa social pra mostrar a marca, mas só de cuecas e calcinhas da cintura pra baixo. Ou nem isso. Gente sem carne, sem calor, sem cheiro. Só imagem distorcida pela vaidade e insegurança.

Pensou em abraçar alguém. Sentiu o aperto no peito que sentia de vez em quando, sem saber se era tristeza, medo, angústia ou os três ao mesmo tempo. Que nome teria isso? Se tivesse um nome, talvez pudesse se perceber acompanhado na solidão off-line. Respirou fundo três vezes pra aliviar. Como fazia sempre. Precisou de mais três. E outras três.

As fotos de gente feliz no Face e Insta desanimavam. Também não pareciam de verdade. Felicidade demais. Beleza demais. Deus demais! Tudo da tela para fora. Só pra mostrar-se bonito, feliz e piedoso em um mundo carente de beleza, felicidade e piedade.

Tremeu sem saber se de frio, medo ou o quê. Como só podia resolver o frio, meteu-se embaixo do cobertor. Pelado mesmo. Apagou a luz e se deparou com o escuro mais escuro que o normal. Fechou os olhos e ainda via a tela. Pensou nas pessoas que vê e conversa sem realmente ver e conversar. Dormiu com a sensação de serem todas falsas e melancólicas como bonecos de papelão.

Cães e gatos

O susto do gato foi enorme quando o cão, num salto, abocanhou-lhe o rabo. Despencou do galho alto de forma desajeitada e aos miados estridentes. Com os dentes firmemente cravados no rabo do gato, o cão flutuava rumo ao chão de forma ainda mais desengonçada que sua presa.

Gatos sempre caem em pé, mas somente quando não têm um cão enorme lhes puxando o rabo durante a queda. Já os cães, esses caem como podem. E podem pouco quando sua atenção está mais na presa do que na queda. Estatelaram-se no chão pedregoso, fazendo aquele som oco dos encontrões violentos.

Um involuntário latido libertou o rabo do gato. Inutilmente. Com a queda de mau jeito, cão e gato mal conseguiam se arrastar. Confusos, tentaram se mover, sem saber muito bem para onde ir. Como a dor era grande, desistiram.

Ficaram ali. Caídos, emparelhados, ensanguentados e silenciosos. Se entreolharam brevemente. Talvez, se a troca de olhares continuasse, pudesse surgir empatia entre esses dois inimigos, mas uma figura estranha colocou-se entre eles, como que vinda do nada, bloqueando-lhes a visão do outro.

Uma criatura que nem cão, nem gato jamais tinham visto. Sequer saberiam dizer se era mamífero, ave ou réptil. Apesar disso, era grande e magnífica. De olhar profundo e doce ao mesmo tempo, parecia exalar paz e compaixão.

Com gestos lentos e delicados, a criatura tocou o gato e o cão, fazendo com que as feridas e dores de ambos desaparecesse magicamente. Estavam incrédulos e felizes com aquele milagre!

Por um breve instante, entreolharam-se novamente com olhar de amizade. Mas as ideias lhes ocorriam ainda confusas.

Ambos aprenderam com seus líderes e companheiros que quem ajuda o inimigo, inimigo é. Pouco importa o que tenha feito ou o porquê. Aliás, deixaram de se perguntar o porquê de outro fazer ou deixar de fazer alguma coisa havia muito tempo. Não querem saber de diferenças, nem mesmo entre os de sua própria espécie. Quem pensa diferente da matilha ou gataria é aliado do inimigo e deveria ser ameaçado, calado, agredido ou morto.

O cultivo do ódio entre eles começou como repulsa pela espécie diferente. Com o tempo, tornou-se afeto dominante. Seus alfas deixaram de ser os mais fortes e passaram a ser os mais barulhentos e covardes incitadores do ódio. Contra os da mesma espécie ou não. Adulto ou filhote. Não importa. O ódio está acima de tudo, e os covardes, acima de todos.

O vazio da falta de respostas sobre o que era a criatura foi preenchido pelo ódio. Ambos desconfiaram que se tratava de uma armadilha. Elemento de uma conspiração. Ganhar-lhes a simpatia apenas para destruí-los depois. Coisa ardilosa daqueles bichos que querem do mundo uma bagunça cheia de respeito e harmonia.

Saltaram sobre a criatura quase ao mesmo tempo. Em poucos minutos, estava completamente esfacelada por dentadas, unhadas e patadas violentas.

Olharam-se novamente com ódio ancestral. O gato, ainda cansado, alcançou um galho e surpreendeu-se quando o cão, num salto, abocanhou-lhe o rabo...

Jaime cancelador

O frio de agosto veio mais rigoroso que de costume, encapsulando ainda mais aquele povo sem costume para baixas temperaturas. As ruas, já bem rareadas de gente medrosa da pandemia, ganharam ar ainda mais melancólico com os chiados dos pneus rolando pelas poças d'água e abafando os sons desconexos vindos dos apartamentos.

A maioria das janelas brilhava. Algumas oscilavam em coloridos de TVs exibindo coisas de TVs. Noutras, luz fria e uniforme iluminava rostos vidrados em um site qualquer. Numas poucas janelas havia o escuro de quartos que escondiam o que se faz no escuro. Era cedo ainda.

No apartamento de Jaime, as crianças monopolizavam a TV em sucessivos desenhos animados. Jaime bisbilhotava a vida alheia em seu notebook enquanto, no banheiro, sua esposa trocava mensagens picantes com o amante forte e meio cabeça oca.

No trabalho, Jaime é na sua. Diz dizer o que pensa, mas pensa ser melhor dizer o que se espera que ele diga. O resto, tranca dentro de si. No trabalho, Jaime é só meio Jaime.

Jaime não ama ninguém. Nem a si mesmo. Não gosta de ninguém. Nem de nada. É oco. Preenche o vazio dentro de si com a atenção de gente que ele não conhece de verdade. É capaz de qualquer coisa por essa atenção. Só pra se sentir um pouco vivo.

Na internet, Jaime é mais Jaime. Tem nome diferente. Imagem diferente. Opiniões diferentes. Muitas. Sobre tudo e sobre todos.

Não tem medo de dizer besteira. Nem de magoar ou ferir. Ao contrário. Caça nas redes alguém para magoar ou ferir. Mente, ameaça, julga ou simplesmente diz com ar arrogante besteiras incríveis. E inacreditavelmente encontra quem nelas acredite. Só escreve em caixa-alta. Como quem grita. Ganha muitos aplausos a cada vida que entristece.

"GENTE, VOCÊS PRECISAM VER ISSO! OLHA QUE SAFADA! DIZ QUE FOI ESTRUPADA. MAS QUEM É ES-

TRUPADA RECLAMA, NÉ? PÔ, ELA NÃO RECLAMÔ? DEVE TER É GOSTADO", escreveu sobre uma menina de dez anos que foi violentada. A mesma idade de sua filha, que se atracava com o irmão mais novo buscando inutilmente a atenção dos pais.

Barbaridade após barbaridade, as palminhas e joinhas das redes aumentam. Frases de apoio vindas de gente tão vazia quanto ele pipocam na tela às dúzias. Incentivos ao ódio, preconceito e violência. Fala em nome de Deus ou de alguma ideologia, apesar de não sacar nada de Deus ou religião. Ideologia nem sabe o que é. Mas fala deles com desenvoltura. E muitos incentivam. No seu ódio, Jaime nunca está só.

A notícia do suicídio da menina pipocou na tela enquanto iniciava outro linchamento moral. Não se abalou. Foi rápido. Criou uma história dizendo que o suicídio não era real. Invenção de gente que quer calar quem fala a verdade. Postou foto do cadáver dizendo que era montagem.

Ficou orgulhoso de si mesmo quando viu que aquela mensagem estava entre as mais lidas. *Trend topic*. Deitou-se para dormir o sono dos justos sem perceber que sua esposa chorava baixinho debaixo das cobertas.

⊖ Marcelo empreendedor

Tudo só depende de você!, dizia uma moça quase aos gritos. Explicava no YouTube, com palavras estranhas, como ganhar dinheiro. *Brêndi, brendimárquetin, âp, tárgueti* e por aí vai. Tudo sem descuidar do *compláienci*... Marcelo não fazia ideia do que significavam, mas supunha.

Noutro vídeo, branquelo barbudo, com pinta de quem trabalha naquelas barbearias que lhe raspam a cara e o bolso, dizia que tudo só depende de você! Essa frase ficou martelando na cabeça de Marcelo o resto do dia.

Na igreja, ouvia toda semana que tudo depende de Jesus. Pastor dizia que Argemiro tinha uma vida ferrada de tudo. Mas com fé ficou rico. Já Carlota, tinha dinheiro, mas afastou-se da igreja e agora vive na sarjeta. Loja, carro, casa. Quem tem fé tem grana.

Marcelo conhece gente que tem muita grana. Os caras da milícia têm muita grana. Muita mesmo. Casas grandes, carrões e armas. Marcelo tem dificuldade de entender por que Jesus dá tudo isso pra gente que mata e rouba.

Nenhum deles vai a igreja nenhuma, mas deram grana para ajudar todas. Padre e pastores da comunidade fazem discursos de agradecimento aos milicianos. Fé estranha.

Saiu de casa andando a esmo pela comunidade, só pra pensar melhor. Entrar para a milícia ou tentar ganhar dinheiro por conta própria? Na milícia, a rotatividade é alta. Seria fácil aceitarem ele. Ainda mais tendo sido paraquedista. Atirava bem. Mas só em papelão. Atirar em gente devia ser diferente.

Ouviu dizer que brasileiro é naturalmente empreendedor. Não sabe muito bem o porquê. Nem mesmo depois de assistir a tantos vídeos de gente branca dizendo como é fácil ganhar dinheiro. Que é preciso foco, disciplina e umas coisas em inglês. Marcelo não sabe se tem essas coisas. Mas sabe que tem fome e que não tem dinheiro. E que é preto. E que para preto, a coisa não é fácil do jeito que branco acha que é.

Na TV vê muito branco reclamando de imposto. Na comunidade não tem imposto. Nem alvará nem licença. Mas tem a milícia. Que tem que deixar trabalhar. E pagar taxa de proteção. Rico que não paga é processado. Perde o carro. Pobre que não paga perde a vida.

Talvez pudesse trabalhar no tráfico. A milícia toma conta do tráfico. Os traficantes são os mesmos de antes. Todos jovens, com fuzil na mão e coisas douradas penduradas pelo corpo. Tudo igual ao que sempre foi, menos a chefia.

Dobrou a esquina e deu de cara com o chefe da milícia. Lembrou-se do vídeo do branquelo barbudo. Tudo só depende de você. Tinha fome, um celular e uma cama na casa que a mãe alugou dos milicianos. Devia o aluguel, e o resto da grana que tinha gastou no enterro da mãe. Lembrou-se do pastor. Tudo depende de Jesus. Era um sinal.

Num golpe rápido, arrancou a pistola da cintura de um dos seguranças. Sem hesitar, atirou à queima-roupa no chefe da milícia. Morreu pensando que atirar em gente não era igual a atirar em papelão.

Larissa enclausurada

A doença enclausurou corpos, mas não os sonhos que os habitam. Larissa sonha muito. Aos suspiros. Sua mente voa alto e longe. No tempo e no espaço. Ainda mais quando está borocoxô. Perdida. Vazia. Solitária. Com tantas reviravoltas provocadas pela pandemia, anseia pela sua enquanto experimenta o tédio da mesmice.

Enche o tempo com o vazio da internet, saltando de imagem em imagem. Entre a expectativa do novo e a frustração de não haver nada de novo no meio de tanta novidade. Olha por olhar. Para dar trabalho aos olhos. Montoeira de imagens só pra tentar driblar o tédio.

Dá certo por alguns instantes, quando encontra algo engraçado ou excitante. Mas dura pouco. Menos tempo que os músculos levam para armar o sorriso minguado que se sorri quando não se tem ninguém pra ver o sorriso.

Quando a distração acaba, volta o vazio. E os sonhos. Como a sucessão de imagens das telas, mas com sentimentos. Daqueles profundos e verdadeiros, que comandam o pensar por horas e horas. Larissa sonha com o passado.

Revive momentos bons. Deixando ainda melhores com muita fantasia. Com pessoas que conheceu, mas com toques, imagens e sensações que não aconteceram. Uma delas reapareceu instantaneamente assim que surgiu, num bip, uma mensagem de Jorge.

Conheceram-se havia muito tempo. Amaram-se por uma única noite. De forma tão intensa que nunca o esqueceu. Tornou-se lembrança boa. Recomeçou com uma conversa boba. Cheia de emoções fortes por dentro. Não sabia o porquê, mas reencontrar Jorge a deixou abalada.

Teve medo de se perder nas fantasias. De entregar-se por carência, solidão ou tédio. Precisava domar pensamentos e sentimentos. Achar uma certeza afetiva que lhe desse segurança.

Lembrou-se do cheiro de Jorge. Cheiro não é o mesmo que odor. Odor é o que se exala. Cheiro é o que se sente. Odor é o que é, nem bom nem mau. Ganha qualidade quando vira cheiro. Gostar do cheiro é gostar de quem se cheira.

Por muito tempo não sabia se ainda amava Carlos, até que percebeu que ele não cheirava bem. O odor era o mesmo. Mesmo corpo e perfumes. Mas sem o desejo, a mágica que transforma odor em cheiro bom não acontece. Foi quando percebeu que o desejo por Carlos virou repulsa. Os olhos nos enganam. O coração também. Mas o nariz não. Infalível na revelação dos sentimentos.

Larissa sentia falta de gente. Do calor de um corpo encostando no seu, de um olhar, um abraço... Mas o que mais lhe faltava era o cheiro. De desejo. De amor. Que dá segurança. Que faz saber o que sente e se sentir viva.

Lembrou-se com medo enorme de que a perda do olfato era um dos efeitos da covid. Seria como uma amputação. Como perder a capacidade de sentir carinho ou até mesmo a de ver a beleza em quem se ama.

Por precaução, continuou em casa. Sozinha. Acompanhada da lembrança boa do cheiro de Jorge e do desejo de, um dia, voltar a sentir algo de verdade.

A doida da kombi

Mal chegou em casa, tomou banho e saiu novamente. Ao menos no sábado o trabalho iria só até o meio-dia. Seria difícil aguentar um dia inteiro não tendo dormido na noite anterior. Sandra sai sem se lamentar.

Sextas-feiras, no começo da noite, ela encontra um grupo de amigos. Preparam uma montoeira de comida e a acomodam em marmitas metálicas. São horas descascando, cortando, misturando, mexendo. Só a primeira etapa. Tudo pronto, embarcam numa Kombi velha e barulhenta. Ornada com um amassado na frente, um pouco de pasta epóxi na traseira e uma enorme folga na direção que a faz ziguezaguear pelas retas.

Procuram gente. Aquela que ninguém quer encontrar. Menos ainda se aproximar ou tocar. Gente infame. Maltrapilha. Fedorenta. Gente de rua.

Gente que um monte de gente trata como se não fosse gente. Quando as encontra, Sandra e seu grupo distribuem as comidas. Durante toda a noite.

A maioria come calada. Com a voracidade de quem tem a fome de não saber se haverá comida. Outros contam sua história. Há os que estão na rua porque perderam tudo. E tudo não são coisas que se compra. Um amor, o filho, a família inteira, a dignidade...

Outros perderam-se na primeira tragada. Ou em qualquer outro paraíso químico. Porta de entrada para o inferno da falta. Lugar de oscilação entre a fissura, o entorpecimento e a indignidade.

Sandra os alimenta e ouve. Fala pouco. Porque não há o que dizer. Também por saber que ouvir já é muito. Às vezes parece até mais importante que a comida que ela lhes dá. Fome de falar. E de ser ouvido de verdade. Para se sentir um pouco gente.

Os colegas de trabalho não entendem Sandra. Pelas costas, a chamam de doida. Ela lhes conta as histórias do rolê noturno. Das vidas que descobre e de suas histórias tão interessantes para Sandra quanto desinteressantes para seus colegas.

Ouvem entre a estranheza e o nojo. Como se aquela gente fosse contagiosa. Você não tem medo de pegar uma pereba? De te assaltarem ou sei lá?... Sandra sorri. Sabe o que pensam e sentem. Percebe que também evitam tocá-la. Mas não liga.

Sandra não vê as pessoas na rua do mesmo jeito que seus colegas. Do mesmo jeito que quase todo mundo. Ela vê gente. Gente que é gente porque sofre. Porque pensa. Porque fede, faz cocô e tem fome.

Mas tem dificuldade pra entender seus colegas de trabalho. Tão cheirosos. Sem fome. Sem história. Exceto de coisas que compraram, viagens que fizeram ou picuinhas bestas.

Gente cujo sofrimento vem de se sentirem vazias e acharem que se curam comprando alguma coisa ou tomando remédio. São mais sofridos que os famintos que alimenta. Sofridos de outro tipo. Famintos de propósito. De sentido. De tesão. De vida.

Como aquela gente das ruas, também parecem ter perdido tudo, mesmo tendo tudo. Perderam a si mesmos por estarem cheios de si mesmos.

O candidato

Não havia camisa que combinasse com aquela gravata xadrez vibrante. O assessor insistia: "Gravata! É preciso passar uma imagem de seriedade e elegância!".

O candidato nunca foi elegante. Desengonçado nos gestos. Desarmônico nas formas. Feio mesmo. De mau gosto em quase tudo. Nada nele lembra seriedade. É esquivo. Irresponsável. Tem o olhar vazio, de olhos inconstantes que dificilmente encaram. Olhos que não indicam a existência de um espírito pensante e sensível por detrás.

Sem opinião própria. Sem carisma. Sem alma. Apenas um corpo desengonçado nos movimentos e barulhento nas falas. "O candidato perfeito!", pensou Sandro, marqueteiro experiente na criação de propagandas de supermercado.

Empolgou-se pelo desafio de elegê-lo vereador. Seria seu bicho de estimação profissional. Corpo vazio no qual poderia facilmente colocar algum conteúdo. Ditar-lhe as palavras. Moldar-lhe os gestos, como os de uma marionete. Seu *case* de sucesso, que lhe garantiria acesso a um novo nicho de mercado.

Na primeira sessão de fotos, o desafio mostrou sua grandeza. Iluminação nenhuma compensava o grotesco das imagens. Tudo parecia forçado, porque era forçado. O candidato era péssima marionete. Não havia como mudar a posição de um braço sem fazer uma careta ou inclinar a cabeça sem dar um passo pro lado. Fora aquela gravata horrível!

Nas ruas, outro problema. Falava muito. Frases feitas entrecortadas por palavras difíceis. Tudo sem nexo. Não havia diálogo com eleitores. Não deixava falar. Não ouvia. Falava e pronto! Havia o sorriso torto que não lhe deixava a boca. Fixo. Estático. Sorriso que não sorria, mas que amenizava o desconforto de estar ali, cara a cara.

Sandro apelou para imagens manipuladas e textos lidos por ator de voz grave e suave. Discursos que cabem em qualquer gosto. Contra tudo isso que está aí.

A favor de mais saúde, segurança e educação. Sem dizer o que ou o como de nada.

Nas ruas, corria. Cercado de gente paga para criar aglomeração e impedir a aproximação de qualquer eleitor. Por sorte, tinha boa disposição física. Moças jovens e rapazes musculosos, mal pagos e com roupas insinuantes, distribuíam sedutoramente papeizinhos com a cara feia e o número do candidato.

Deu certo. Eleito e bem votado. Derrotou outros mais inteligentes, preparados e honestos que ele. Um sucesso! Mérito óbvio de Sandro.

Cumpriu o mandato sem fazer nada de relevante. Sem nem ao menos se tornar conhecido na cidade. Vez ou outra, criava alguma dificuldade só para negociar um ou outro cargo público para um cabo eleitoral qualquer e embolsar metade do salário do contratado, que nem precisava trabalhar de verdade.

Procurou Sandro novamente. Quer ser prefeito e fazer tudo de bom pelo povo que diz ser seu e que não o conhece. Tudo que não pôde fazer como vereador. Tudo que nem tentou.

Mas Sandro não topou. Já acertou com outro. Mais sem carisma. Mais desengonçado. Mais despreparado. Mais irresponsável. Porém, mais vaidoso. Mais rico. Mais pilantra. E dono de gravatas de fina elegância.

⊖ Pedro cristofóbico

Pedro é cristofóbico. Terrivelmente cristofóbico. Outro dia, em sua igreja, uma transexual foi expulsa. Pessoa invertida. Pecadora. Fruto podre que ameaçava de podridão os bons cristãos daquele cesto de fé.

Pedro a abraçou. Assim, na frente de todo mundo. Argumentou com os seus que o dever cristão é amar incondicionalmente. Amar o crente e o descrente. O santo e o pecador. Quem ama acolhe. Quem ama não exclui.

Foi expulso também. Aos sopapos e ofensas gesticuladas e gritadas. Provou do ódio que negou ao pecador. Pedro não tinha jeito mesmo.

Passou por outras igrejas. Sempre assim, cristofóbico. Numa delas, alguém contava empolgado sobre o carro que ganhou. Deus que lhe dera. Prova de sua fé e de que era mais digno de Deus que os outros, com seus carros velhos.

Pedro até que tentou, mas, cristofóbico que é, não conseguiu ficar calado. Disse que não há mérito no que se tem, mas no que se faz. Bastou. Virou motivo de fofoca, chacota e, claro, ódio. Ficou sem clima para frequentar aquela igreja também. E lá se foi para outra. E depois outra e outra. Pedro não se emenda.

Mas é na política que Pedro se mostra mais cristofóbico. Acha que se for para misturar Cristo com política, então o amor deveria ser o princípio primeiro desse tipo de política. Mas não é o que Pedro vê e ouve.

Ouviu pedidos de voto para um candidato. Verdadeiro cristão. Miliciano que expulsou à bala crentes de religiões concorrentes. Provou sua fé incendiando um terreiro de umbanda e ameaçando de morte a velha que tomava conta do lugar. Jesus na boca e arma na mão.

No mesmo dia, ouviu outro pedido. Para o concorrente. Também cristão, diziam. Indignado com tudo. Fala com ar de superioridade. Denunciava os males do mundo. Com ímpeto. Às vezes, fúria. Faz pouco caso de quem pensa diferente. Pouco amoroso também. Sem arma na mão, mas de palavras que ferem como flechas.

Olhando à direita e à esquerda, não viu amor. Não viu respeito. Não viu perdão. Não viu fé. Mas ouviu muito falar de Cristo pra cá e Jesus pra lá. Só palavras. Vazias como promessas de campanha.

Pedro disse o que pensava para um e para outro. Malvisto por um e outro. Cristofóbico para um e para outro.

Entendeu que Cristo na política é arma. Para convencimento e persuasão de alguns. Para evitar ter que convencer e persuadir a outros. Só um rótulo. Como os manjados bordões: "eleitor amigo, você me conhece", dito por um desconhecido que não é seu amigo.

Pedro resolveu deixar a política de lado. Na verdade, foi deixado de lado por ela primeiro. Segue por aí sozinho. Amando, perdoando, sendo caridoso. É sua política. Sem armas ou arminhas. Sem ofensas. Sem arrogância. Sem ameaças. Sem competição. Sem eleição. Sem salário. Sem companhia.

Manuel entubado

O médico repetiu o que já lhe havia dito pela manhã. O que ele já sabia desde o primeiro dia de UTI. Ouviu sem nada dizer, mais pela dificuldade de falar que por vontade. Os decisivos três dias. Passado o terceiro, vem a cura ou uma piora que geralmente acaba em morte. Manuel estava no terceiro dia.

Tentou encher os pulmões com dificuldade. Pensou que aquele poderia ser seu último suspiro. Irritou-se com a ideia de que morreria ali, daquele jeito, atormentado pelo bip infernal que avisava aos que lá trabalhavam que seu coração ainda batia. No começo, pensou que se acostumaria com aquele barulho. Não se acostumou.

Tampouco costumou-se com o vaivém de gente que lhe cutuca daqui, medica dali. Tomava a aparente frieza do trato como um tipo de carinho. Cuidado entre a preocupação profissional com a vida que se está a cuidar e a possibilidade de sofrer pela perda de quem se cuida.

Dizem que, no instante da morte, a vida nos passa como em um filme. Manuel tinha mais que um instante. Dava para avaliar com calma. Momento por momento. Para saber se a vida valeu a pena. Volta e meia Manuel fazia isso, mas o momento nunca parecia adequado.

Antes do último suspiro, há vida vivida, mas também vida por viver. Como julgar se além das alegrias e tristezas vividas ainda há outras por viver? Não se pode julgá-la pelos instantes, cada um com suas sensações e intensidades. A vida não é uma soma de momentos vividos, mas um todo. Repleta de momentos altos e baixos. Como uma montanha-russa de alegrias e tristezas, que se avalia se valeu a pena pelo passeio e não por uma ou outra ladeira.

Agora é diferente. Pode ser que Manuel não passe desta noite. Talvez nem mesmo deste suspiro.

Pensou nos momentos tristes e nas besteiras que fez. Alguns serviram como aprendizado. Outros só o deixaram mais triste e envergonhado mesmo.

Teve também momentos felizes. Menos abundantes. Porém intensos. Daqueles em que a vida realmente pareceu ter gosto de vida. Difícil comparar momentos tristes e felizes. Estão mais para moedas diferentes do que faces opostas de uma mesma moeda.

Lembrou-se de como gente indiferente à vida alheia politizou a pandemia em grotescas frases e performances. Isso, que o irritava tanto, agora não passa de uma lembrança do quanto a humanidade pode ser patética.

Ofegante entre engenhocas e bips, percebeu que a solidão era o que mais lhe incomodava. Falta de pessoas amadas e do próprio amor.

Talvez estivesse aí a medida da vida: o amor. Que se dá e recebe. De que se lembra e conforta mesmo quando se está diante da morte. Pensar no amor o acalmou. Tentou respirar fundo mais uma vez e adormeceu. Feliz pelos amores que deu e recebeu. Triste pelos que amam só a si mesmos. E sem saber se lhe haverá um amanhã para amar.

Amaro brincalhão

Amaro é boa-praça. Faz piada com tudo. Sem censura alguma. Tem horror ao politicamente correto. Acha que é mimimi. Ou, como prefere: mim, mim, mim, porque acha que é coisa de gente que só quer chamar a atenção.

Ninguém levou a sério quando a filha disse que foi espancada por ele. Trazia na cara a marca da sola do sapato 44 e uns ossos quebrados. Ele disse que ela caiu. Desastrada. Para os amigos, dizia que a filha tropeçou na perna dele. Na terceira perna. Os amigos riam. Amaro é um cara animado.

Quando o assunto é política, gosta de falar sozinho. Não deixa que ninguém que pense diferente fale. Também não deixa falar quem pensa como ele. Com cara de sabichão, discursa em monólogo certezas absoluta sobre coisas que desconhece. Só não discute com o WhatsApp, fonte científica de seus conhecimentos.

Outro dia, um amigo falava de política. Bastou a palavra "sindicato" para Amaro abrir a boca. Tem horror a sindicato. Parasitas preguiçosos e corruptos. Gente que quer se dar bem com o trabalho duro dele. Que não venceu na vida como ele. Que não herdou do pai as padarias como ele.

Grandalhão. Fala alto e com voz grossa. Quase um trovão. Chama os funcionários de suas três padarias pelos apelidos que ele mesmo os dá, aos gritos. "Cheira-Bosta! Traz logo aquele saco de farinha!"; "Nego-Merda, chegou atrasado! Tua mulher te corneou mais uma vez?". Amaro é muito brincalhão.

Uma vez, esbofeteou com mão grossa a cabeça magra de um padeiro que cochilava. Estourou-lhe o tímpano. Ainda zonzo, pôs-se a correr cambaleante. Nunca mais voltou. Nem para receber o último salário. Amaro dizia que aquele era um frouxo, como todo paraíba. Para ele, todo nordestino é paraíba. Tudo na brincadeira, claro.

Católico fervoroso. Dorme com fervor na missa de domingo. Aos roncos. Na sua fé, orientada por teólogos da prosperidade, Deus mandou a aids para punir os gays. E o ebola para matar pretos. O coronavírus não existe. Invenção de comunistas ateus para ferrar o Brasil. Sair sem máscara e comprar arma para matar bandidos é sua profissão de fé.

Outro dia caiu um dilúvio bíblico. Ruas alagadas e enchentes atravancaram a cidade. Amaro insistiu em abrir as padarias. Deus recompensaria lhe mandando clientes. Por sua bondade.

Os clientes não apareceram. Alguns empregados também não. "O bosta do Tobias disse que a rua dele está alagada, mas bosta não boia?", mandou pelo WhatsApp para todos os seus empregados.

Tobias deu o troco. "Muquirana sem-vergonha", "babaca" e por aí foi. Como sua voz era esquisita, o áudio ficou engraçado. Viralizou. Muitos riram. Virou chacota nacional. Amaro não gostou.

Dias depois, Tobias foi baleado quando saía de casa. Deixaram sobre o corpo ensanguentado um bilhete: "quem ri por último ri melhor".

Amaro deu a notícia pessoalmente aos empregados. Assim que voltou da missa. "É com tristeza que recebo a notícia da morte do Tobias, nosso querido Bosta-Boia. Parece que mexeu com quem não devia." E sorriu. Amaro é realmente muito brincalhão.

Professora Amélia

Desde bem pequena, Amélia queria ser professora. Orgulho para os pais numa época em que o futuro de uma mulher era ser esposa, doméstica, freira ou professora. Melhor a última opção, que lhe garantiria alguma independência.

Fez escola normal. Conseguiu uma vaga no internato de uma escola de prestígio. Compensava a caridade trabalhando como dama de companhia de algumas freiras. Lembra-se como bons momentos.

O primeiro trabalho foi em presídio. Alfabetizando. O clima era tenso, mas nunca teve problemas por lá. Era tratada com respeito pela maioria. Indiferença pela minoria. Sentia-se importante pelo que fazia. Mas não contava para ninguém. Sabia que a reprovariam por ensinar algo a bandidos.

O tempo de presídio durou pouco. Havia sempre alguma professora nova para mandar para lá. Espécie de filtro pós-concurso. Quem aguentasse aquilo aguentaria qualquer coisa, pensavam. Amélia descobriu que não era bem assim.

Ganhava menos que gente que estudou menos do que ela. Talvez por ser tida como profissão de mulher, não faria sentido pagar muito. Continuou estudando, crente no que ensinava a seus alunos de que o futuro depende dos estudos de cada um. Volta e meia algum aluno, pai ou mãe lhe esfregavam na cara que era uma fracassada porque ganhava mal.

Uma vez, pediram sua opinião sobre uma campanha para valorizar a leitura e o estudo. Seria estrelada por ídolos da juventude. Jogadores de futebol, cantores e youtubers. Nenhum deles tinha escrito um livro. Como aprendeu que se não tiver nada de bom para dizer, melhor não dizer nada, nada disse.

Greves foram muitas. Nas primeiras que participou, alunos e pais apoiavam. A polícia batia. Nas últimas, a polícia não aparecia, exceto se fechassem uma rua. Poucas coisas são mais sagradas que o trânsito. Agora, quem bate são os pais e alunos.

Foi ameaçada algumas vezes. No começo não levava a sério. Era só mais uma aporrinhação, não maior do que a burocracia e as pessoas ressentidas que lhe atravancavam a vida.

Com o tempo, a coisa foi ficando séria. Além de caras feias, vieram intimidações e xingamentos. Chamou os pais quando a coisa pareceu ter ultrapassado os limites. Foi pior. Também a intimidaram.

Aprendeu que essa coisa de limites não existe. Passou a ser ameaçada de morte por causa de notas de matemática ou português. Difícil de entender. Como quem não liga para o que se aprende na escola pode querer matar alguém por causa de uma nota que lhe diz que nada aprendeu?

Quando um aluno lhe esmurrou na frente da turma que filmava para colocar nas redes, pensou em largar a profissão. Foi cobrada por permitir que aquilo acontecesse. Os pais a culparam pelos filhos serem o que são. Forte, aguentou sozinha.

No Dia do Professor, recebe pelas redes mensagens sobre a importância do professor, dos estudos, do conhecimento. Parecem vir de outros tempos. De outro lugar. De outra gente. De onde humanidade significa alguma coisa. Ela os lê com nostalgia. Esperançosa de um dia, quem sabe, voltar a ensinar sem sentir medo.

A fábrica

Foi inaugurada com festa. Gente importante mostrava os dentes no palanque. Rogério assistia de baixo. Deram-lhe um balão preso a uma vareta para compor o cenário da foto. Diziam que a fábrica lá, tão longe de tudo, geraria milhares de empregos. A cidade enriqueceria.

Os empregos não foram aos milhares. Não chegou a duas centenas. Máquinas ágeis faziam quase tudo. Para cuidar delas, chegou gente de fora. Para mandar em todos, também. Sobrou pro pessoal dali trabalhar para elas. Mulheres na limpeza. As bonitas enfeitavam as recepções das salas dos homens que mandavam. Os homens que não mandavam carregavam coisas para as máquinas. Ou faziam cara de bravo na portaria.

De longe, ela era um trambolho prateado. Rogério a imaginava como uma nave espacial que tinha caído por ali. Cheia de alienígenas com sotaque de cidades grandes. Conseguiu emprego para fazer cara de bravo na portaria.

As coisas realmente melhoraram um pouco. Os comerciantes venderam um pouco mais. A fábrica patrocinava reforma de praça, quermesses e outras festas. Sua marca ocupou a visão em placas, cartazes, camisetas e bonés. Nas conversas, era cenário ou personagem. Tornou-se quase onipresente aos olhos, ouvidos e mentes. Como um sol, em torno do qual toda a cidade passou a girar.

O desalento foi enorme quando a fecharam. De uma hora para outra. Inesperado como o apagar do sol. Não compensava mais produzir ali, disseram. Desmontaram as máquinas com mais rapidez do que montaram. Durante a madrugada, sem palanque ou festa, caminhões barulhentos levaram tudo. Os homens que mandavam sumiram sem dizer adeus. Como se fugissem. Ficou só o caixão prateado vazio por dentro.

O dia seguinte foi estranho. O mesmo silêncio da fábrica estava nas bocas. Só se falava por olhares consternados e arqueadas de sobrancelhas que pareciam dizer "Pois é...". Consolação mútua de desconsolados.

Souberam pela TV que ela fora para outra cidade. Tão pequena e distante quanto a deles. Inaugurada com o mesmo palanque e pelas mesmas pessoas dizendo a mesma coisa que ouviram antes. Na nova cidade, a fábrica terá mais vantagens. A fábrica sempre precisa de vantagens, senão vai embora.

Rogério mandou currículo. Nem responderam. Burrice!, pensou depois. É certo que por lá há um Rogério que nem ele.

Mas havia outros na cidade que trabalharam em coisas mais importantes que ele. Gente que aprendeu a mexer numa ou noutra engenhoca. Que sabiam apertar os botões certos. Também não tiveram resposta. Souberam depois que a nova fábrica tinha novas máquinas. Com botões diferentes dos que sabiam apertar.

A nova fábrica precisava de menos gente apertando botões. Menos gente enfeitando sala de gente vinda de longe. Menos gente fazendo cara séria na portaria.

Ficará por lá até não querer mais. Depois irá para outro lugar funcionar com mais vantagens, mais máquinas e menos gente. Deixará para trás outro caixão prateado e uma ou outra praça reformada. Nas gavetas, surradas camisetas e bonés desbotados. Lembrança de quando acreditaram que o futuro seria melhor.

O xamã do SUS

Rogério é médico. Oftalmologista. Seis anos de faculdade. Outros dois de residência. Aprendeu que medicina era uma ciência. Que testes em laboratórios e estudos clínicos descobriam remédios e procedimentos que curavam. Apesar de não ser um cientista, aprendeu também sobre os métodos científicos. Até ensaiou algumas pesquisas, só para aprender fazendo.

Começou a trabalhar em hospitais na mesma época em que apareceram médicos cubanos. Havia de outros países também, mas para Rogério eram todos cubanos. Achava-os estranhos. Não estudaram o mesmo que ele, como poderiam trabalhar ao seu lado? "Daqui a pouco vão colocar xamãs trabalhando no nosso lugar!", dizia. Foi para um aeroporto gritar coisas feias para os cubanos que chegavam.

Soube por grupos de WhatsApp que o Senado aprovara, em minutos, lei liberando importação e venda de fosfoetanolamina. Nunca tinha ouvido falar naquilo. Pílula do câncer era o apelido da droga. Um remédio sem eficácia comprovada pela ciência, diziam os que entendiam do assunto.

Rogério sabe dos riscos de incentivar um monte de gente a tomar um remédio que não se sabe bem o que pode causar. Protestou nas redes. Chamou os políticos de assassinos e corruptos. Agiam como charlatões. Xamãs, que vendiam falsas esperanças para gente amedrontada pela morte. Uma vergonha!

Quando a pandemia começou, Rogério trabalhava em clínicas e no SUS. Também no WhatsApp e Facebook, como influenciador político de médicos e de gente que acha que entende de medicina. Com o fim do governo corrupto e a Lava-Jato, a saúde no Brasil finalmente melhoraria. Nada de cubanos. Nada de políticos dizendo qual remédio tomar!

Começou a medicar amigos que achavam que tinham covid, pela amizade e para contar nas redes. Ouviu o presidente falar da cloroquina e prescreveu.

Uma, duas, dez vezes. Seus amigos melhoraram. Foi o suficiente para tornar-se um *cloroquiner*.

Fez vídeos sobre como tratar covid, mesmo não tendo se especializado nisso. Falou aos berros sobre a incompetência dos políticos que defendiam o isolamento e a covardia dos colegas de profissão que não prescreviam hidroxicloroquina precocemente.

Pegou covid não sabe como, apesar de não ter se isolado e quase não usar máscara na rua. Ficou mal. Na UTI, não tomou cloroquina. Nem discutiu o assunto. Recuperou-se quase sem sequelas. Sente que perdeu o olfato. Algumas comidas passaram a ter gosto de terra. Talvez, se tivessem usado a cloroquina, a covid não lhe teria estragado a lasanha, pensou.

Ouviu falar de uma possível vacina. De Oxford. Governo bancando quase dois bilhões no seu desenvolvimento. Ninguém sabe se vai dar certo, mas promete bons resultados. Aplaudiu nas redes.

Viu também que uma vacina chinesa estava sendo desenvolvida no Brasil. Do mesmo jeito, só que chinesa. Absurdo! Aplaudiu quando o presidente disse que não colocaria um tostão em algo sem comprovação científica.

Comeu sua lasanha com gosto de terra pensando em tomar cloroquina novamente, só por precaução. Talvez lhe devolvesse o paladar. Não há nenhum indício científico de que isso possa acontecer, mas vai que...

Jair e Donald

A água desceu amarga pela garganta seca de apreensão. Jair acompanhava de corpo presente o vaivém de opiniões sobre o que fazer. De coração apertado, ouvia, mas não escutava. Sua mente estava longe. Perdida na lembrança daquela pele laranja.

Dormiu pouco e no pouco dormido não descansou. Sonhos intranquilos o fizeram acordar suado. Bebeu mais um gole de água, que ainda descia amarga. Conferiu novamente os números. Ainda favorável aos que querem separá-los. Há muito que, lá e cá, há quem não aprove o seu amor.

Amar é verbo intransitivo. Quem ama, ama sem porquê e sem para quê. Ama e mais nada. Porque para além do amor, não há nada que importe. Mas gente que não ama do jeito que Jair ama se importa com o amor dos outros. E se importa muito. Faz piada. Agride. Gente que não tolera o amor alheio. Talvez por não entendê-lo. Ou, quem sabe, por nunca ter sentido algo assim, tão puro.

Jair sente que seu amor por Donald é a verdade que o libertou de uma vida sem projeto, rumo ou propósito. Amor de sintonia. De acreditarem nas mesmas coisas. E detestarem juntos outras tantas. Amor de submissão, em que o que é de Donald vem primeiro e tudo é de Donald.

Passou o resto da noite em claro. Pensou no topete dourado. Naqueles olhos estreitos que o encaram de cima para baixo. Na cara de mau que sempre faz quando levanta o queixo e, forçando com os lábios um bico de menino mimado, arqueia os cantos da boca para baixo. Surpreendeu-se com uma lágrima solitária que lhe escorria enquanto sorria como um bobo.

Na manhã seguinte, foi trabalhar tarde. Mal chegou e recebeu notícias ruins. Com o corpo febril de cólera e paixão pediu, determinou, exigiu sugestões. Estava disposto a sacrificar as economias, as pessoas, tudo por Donald. Pelo seu Donald, mataria e morreria.

O silêncio era o que mais lhe angustiava. Um telefonema ou um tuíte. Uma palavra de carinho, uma lembrança, um aceno. Qualquer coisa que o fizesse saber que seu Donald pensava nele, no seu Jair, no seu *good guy*. Sentiu raiva e envergonhou-se da raiva que sentiu por sucumbir à carência. Vontade de atenção. Lapso egoísta. Logo ele, Jair, que naquela relação sempre deu sem pedir nada em troca.

Se de lá nada vem, ao menos de cá poderia mandar-lhe um afago. Reafirmar sua lealdade canina. Deu-se um jeito de dizer, nas complicadas linguagens dos homens que estão por cima dos homens, que Jair estaria com Donald até o fim. Fosse o fim qual fosse.

Deitou-se sem sono. Pensou com raiva naquele outro que talvez ocupe a casa de Donald. Teria quase tudo que hoje é de Donald. Mas não teria o amor de Jair. Este amor, jamais!

Aguardou o sono acalentando a esperança de que Donald faria de tudo para continuar seu. De que nem mesmo a vontade de um país inteiro superaria seus desejos mais primitivos.

Guru de candidato

Esperou na sala de decoração duvidosa por mais de duas horas. Sozinho. Apesar de esquisito, o lugar passava uma impressão de solenidade e misticismo forte o suficiente para mantê-lo ali, sentado no mesmo lugar em que foi colocado pelo anão que o recepcionou. Vez ou outra, ouvia batidas secas. Imaginou que seria o Guru cravando um cajado no chão. Logo após duas batidas, o anão reapareceu.

– O Guru vai recebê-lo agora.

Levantou-se meio cambaleante e seguiu com as pernas formigando. Foi posto novamente em uma poltrona pelo anão, que desapareceu sem nada dizer. Pensou que fosse ficar mais duas horas ali quando se assustou com a voz rouca e ríspida do Guru.

– O que quer aqui?

– Guru! Que bom que aceitou me receber.

– Perguntei o que veio fazer aqui. É estúpido?

– Não! Não. Quer dizer... Desculpe! Eu quero ganhar uma eleição.

– Sei... E por que acha que pode vencer?

– Sou preparado, tenho ótimas ideias e...

– Vai perder.

– Mas preparo e ideias é o que todos dizem ser importante!

– São todos uns imbecis. E se continuar ouvindo essa gente, será mais imbecil que eles.

– O que devo fazer então?

– O que você quer, outros já conseguiram. Procure um bom exemplo.

– Como Churchill ou JK?

– Não, imbecil! Não está entendendo nada! Esses foram governantes. Você quer é ganhar uma eleição. Não tem nada a ver uma coisa com a outra!

– Quem então?

– Andressa Urach ou Geisy Arruda.

– Mas elas nem ao menos ganharam uma eleição!

– Fizeram mais que isso. Têm o talento de chamar a atenção e manterem-se notícia há anos. E sem nenhum outro talento além desse! Admiráveis! Gênias da comunicação! Eleição é isso: comunicação. Você chama a atenção das pessoas. Depois faz simpatizarem com você. Daí votam em você. Todo o resto é firula.

– Mas elas se expõem, dizem asneiras e fazem baixarias!

– E eleição não é tudo isso? A sociedade é um mar de ressentimento, inveja e ignorância, com ondas de perversidade e baixaria. Para ganhar uma eleição, é preciso saber surfar nessa onda.

– Mas isso também vai fazer com que me rejeitem.

– Muitos não. A maioria ficará calada. Os poucos que criticarem, você atacará. Diga que são comunistas, pedófilos, satanistas, traficantes, corruptos, maricas ou coisas assim. Moralistas e ressentidos vão gostar de ver você enfrentando os chatos que lhes censuram e passarão a segui-lo. No final, a impressão será a de que você tem razão.

– E como se governa?

– Esqueça isso. Mantenha-se no cargo e pronto! Deixe os ricos ganharem seu dinheiro e os pobres se virarem. Como sempre foi. Se algo der errado, culpe os inimigos reais ou imaginários. Não assuma responsabilidades. Se a coisa ficar feia, saia dizendo barbaridades. Todo mundo vai se chocar e acabar esquecendo os problemas.

– Guru, o senhor é um gênio!

– Eu sei, seu jumento. Eu sei...

Nonato desempregado

Distraído com os próprios pensamentos, queimou a farofa com ovos. O gosto esturricado até que ajudou a espantar o dissabor de comer o mesmo sempre. Há três dias come farofa com ovos. É o que deu para comprar.

Comilão desde pequeno, o prato minguado é o que mais incomoda Nonato desde que perdeu o emprego. Ao menos tem um alívio no estômago e no espírito aos sábados, dia da feijoada na casa do Pastor Isaías.

O pastor sempre o convida. Ele e outros. Dizem que é um homem de Deus. Ele nega. Diz que é apenas um religioso. Se é de Deus ou não, Nonato não sabe, mas certamente aquela feijoada é divina.

Durante a semana, rotina de procurar emprego. Fila em agências, currículos entregues de porta em porta e uma espera eterna por respostas que nunca vêm.

Não desanima, apesar de tudo. Logo no primeiro mês, a esposa o deixou. Foi morar com um assalariado. Aos poucos, foi vendendo o pouco que tinha para manter alguma dignidade e colocar algo no prato.

Quando vieram as eleições, achou que ouviria dos candidatos algo que desse esperança de conseguir um emprego. Nada. Os assuntos eram outros. Pandemia, falar mal de outro partido ou candidato. Uma ou outra proposta que soava desencaixada da realidade ou da cara de quem a apresentava.

O que mais se ouvia, porém, era os candidatos falarem deles mesmos. Tinha o que se apresentava como amigo, sorridente. O que se dizia pastor e falava com os olhos apertados e as mãos unidas. O militar com corpo duro que falava alto. O policial que só falava em acabar com a bandidagem.

Procurou mais sobre os candidatos e partidos na internet. Um sujeito rico falando que o país era cheio de privilegiados. Que o Estado deveria se basear no mérito e a solução para o desemprego é o empreendedorismo. Nonato entendeu a mensagem: se vira que o problema é seu.

Outro dizia que a desigualdade e a falta de oportunidades para todos eram o problema. Mas não falava nada sobre como resolver isso. Tinha outro que dizia a mesma coisa, e dava explicações. Um papo sobre déficit público, taxa de juros e outras coisas que Nonato não fazia ideia do que eram. A única coisa que ficou clara era o ódio entre os dois sujeitos que falavam a mesma coisa.

Num canal mais bem produzido, viu um debate sobre respeito e dignidade. Debatedor acusava debatedora de ser racista e homofóbica porque ela falou em "esclarecer as coisas". E por não usar pronomes neutros. A mulher, que não parecia querer ofender ninguém, se defendia constrangida diante de um debatedor com ar de indignação. Sobre emprego, nada. Nonato ficou se perguntando o que seria pronome neutro.

Foi votar por obrigação, sem saber em quem nem por quê. Se tivesse que pegar dois ônibus não iria, seria mais caro que a multa por não votar. Apertou dois números aleatórios só para se livrar logo daquilo e voltou para casa pensando que faltavam seis dias para comer feijoada novamente.

Velho normal

Já estava com raiva muito antes de tomar aquele soco. Raiva de tudo. De todo mundo. Só o que faltava era um soco para acabar de lhe estragar o dia. Primeiro veio o susto. Depois a reação. Vigorosa e violenta. Sentiu um prazer enorme em arrebentar a cara daquele preto. Colocou todas as frustrações naqueles socos e chutes. Terminou com a alma leve.

Durou pouco a paz de espírito. O corpo inerte do preto caído no chão, até então troféu do dever cumprido, estava morto. Entendeu logo que daria problema.

Foi levado para a delegacia e interrogado como se interroga um assassino. Ouviu quando disseram para jornalistas que foi um crime brutal motivado pelo ódio racial. Ninguém da empresa apareceu para ajudá-lo. Sabia que perderia o emprego. Acabou o dia preso.

No presídio, não foi tratado como os outros assassinos. "Você é diferente", disseram. Teve a proteção que geralmente é dispensada aos policiais. Por não ser policial, não era odiado pelos presos. Apesar de tudo, achou que tinha sorte por isso.

Nas redes, as imagens do assassinato correram o mundo. Imaginou que gente enfurecida tomaria as ruas. Protestos realmente aconteceram. Pouca gente. Mais na internet do que nas ruas. Por pouco tempo. Outros absurdos se impuseram à indignação pública. Quando foi levado para falar com um juiz, o caso era uma vaga lembrança para a maioria das pessoas.

O juiz lhe fazia perguntas objetivas sobre o que aconteceu e seu passado. Viu nisso uma oportunidade para dizer que sempre foi homem de bem. No dia, fez o que achou que deveria fazer. O que sempre fez. Voltou para o presídio sem a certeza de ter convencido o juiz.

No ócio da cela, pensava no que tinha acontecido. Não compreendia o porquê de estar preso. Matou uma pessoa violenta. Via-se pela cara, pelo comportamento, por tudo. Na sua profissão, não sabe como nem por que, conhece a intenção das pessoas só de olhar para elas. Tinha certeza de que seu julgamento era infalível.

Aquele era o tipo que ele sempre viu como perigoso. E deu no que deu. Azar, pensava.

Na busca por compreender, procurou o pastor que aparecia no presídio todo domingo. Sujeito bacana. Dizia para ele que tudo na vida tinha um propósito. Ainda que não saibamos qual. Ficou mexido com a ideia. Pensou em qual seria o propósito de passar por tudo aquilo. Concluiu que era uma oportunidade.

Aproximou-se dos outros presos para aprender. Sobre crimes, golpes, formas de matar. Aprendeu a ser mais esperto. Mais malandro. Da próxima vez, não daria mole para o azar.

Foi surpreendido pelo seu advogado numa quarta-feira. Tinha sido condenado, mas por ter matado sem intenção. Pelo tempo que já havia passado no xilindró, poderia ir para casa. Achou estranha aquela condenação que solta quem está preso, mas e daí? O importante é que poderia sair dali.

Foi recebido com festa e emprego. Comerciantes do bairro disseram que precisavam de alguém como ele para dar conta daquela gente perigosa. Aceitou feliz. Ouviu de um deles, diligente: "Só não volte a fazer isso na frente de todo mundo". Finalmente sua vida voltava ao normal.

Cadáver no salão

O cheiro inebriante de manteiga queimada na chapa atiçava ainda mais a fome de quem entrava. Às oito da manhã, a padaria estava cheia de gente em busca do desjejum. Funcionários compenetrados no preparo e no serviço de cafés, sanduíches, sucos, bolos e salgados. Tudo igual a todas as outras padarias pelas manhãs, exceto por um cadáver estendido em frente à geladeira.

Um freguês habitual, como em todas as manhãs, encostou sua barriga colossal no balcão de frios. Disse que estava morto de fome. A ironia do fato não estragou o clima ao mesmo tempo sonolento e agitado.

Comeu seu misto-quente com muita manteiga. Sem se dar conta de que havia um cadáver ao lado. Elogiou a quantidade de presunto, arrancando um raro sorriso da moça acostumada a clientes que elogiavam seus peitos, mas desacostumada aos que elogiavam seu trabalho.

O cliente com pinta de surfista dos anos oitenta parou de frente para o cadáver. Seu olhar oscilava como o de quem buscava entender algo. Beto, o responsável pelo salão da padaria, o abordou, entre o constrangimento e a delicadeza servil. "Bom dia! Posso ajudar?"

Queria uma garrafa de suco. Inalcançável sem a violação da área interditada. Beto, com a autoridade de quem trabalha no lugar, afastou um pouco as mesas e entrou no espaço do velório improvisado.

Esgueirou-se ágil entre o cadáver e as portas da geladeira e, sorridente, indagou qual sabor o cliente queria. Teve que afastar um pouco o cadáver com o pé para pegar o suco de uva. O cliente agradeceu, satisfeito, segundo a polidez que teve de berço.

O saco de lixo preto que servia de sudário ao cadáver foi levantado por uma forte rajada de vento, expondo a face morta e o peito ensanguentado. Uma senhora de formas e jeitos esculpidos na aristocracia dos anos cinquenta flagrou a cena horripilante sem horripilar-se. Fez cara de nojo. A mesma que fazia para os companheiros do morto quando em vida se aproximavam dela. Comprou seus croissants e saiu rápido, indignada com a limpeza do lugar.

Beto percebeu a cena. Tomou como falha pessoal. Talvez se tivesse amarrado o saco de lixo ao cadáver isso não tivesse acontecido. Se ao menos pudesse levá-lo para os fundos, onde acumulavam os sacos de lixo, esses constrangimentos não ocorreriam. Mas o aprendido em filmes policiais é que não se pode mexer em um morto antes da chegada das autoridades que, como sempre, demoram.

Sujeito que parecia ter se vestido com a primeira roupa que encontrou ao acaso parou ao lado do morto e sacou o celular. Beto arrepiou-se. Entendeu que aquilo seria má publicidade para a padaria. Chamou o dono.

Perguntou-lhe se não seria melhor fechar a padaria. Por uma questão sanitária e humanitária. Não havia muita coisa a se dizer sobre o problema sanitário. Ateve-se ao humanitário. "Ninguém teve humanidade quando ele estava jogado na rua. Agora que morreu jogado na minha padaria querem que eu tenha humanidade?"

Valério antivax

Chegou sem máscara no bar cheio, onde a música se misturava com conversas e gargalhadas altas num ambiente de indistinção de sons e ritmos. Demorou a encontrar a mesa porque prestou mais atenção nas vultosas mulheres em volta que no amigo que lhe acenava como um náufrago que, finalmente, avista um navio. Valério estava muito atrasado.

– Demorou!

– Só um pouco.

– Quarenta minutos!

– Então, só um pouco.

– Cadê a máscara?

– Não trouxe.

– Tá maluco?

– Por quê?

– A covid!

– Cara, olha em volta. Quem usa máscara em bar? Como é que come e bebe de máscara? E na rua, quem usa? Além do mais, ela esquenta demais a minha cara.

O garçom engravatado e suado colocou dois copos de chope na mesa sem que tivessem pedido. Tentaram pedir algo para comer, mas não deu tempo. Tão logo os copos estalaram na mesa, deu meia-volta e foi-se embora sem olhar para trás.

– Mas não pode dar mole assim. Não até tomar a vacina.

– Eu não vou tomar vacina.

– Por quê?

– É perigosa.

– Mais que a covid?

– Claro! Eu não sei de onde vem essa vacina. Como vou confiar?

– Vem dos mesmos laboratórios que fazem os outros remédios que você toma sem medo quando fica doente.

– Mas não vêm da China.

– Tudo vem da China. Até o que não vem da China vem da China.

– Essa vacina chinesa, eu sei que ela faz as pessoas mudarem de sexo.

– Fala sério que você acredita nisso!

– Até o presidente falou!

– E por que alguém faria uma vacina para as pessoas mudarem de sexo? Não faz o menor sentido.

– Cara, você que não percebe. São comunistas. Eles querem dominar o mundo e pra isso eles têm que acabar com as famílias, entendeu? Se só tiver gay, não vai ter famílias! É um plano bem bolado. Por isso criaram o corona. Para as pessoas, com medo, tomarem a vacina sem pensar!

– O que eu entendi é que você resolveu parar de pensar.

– Cara, primeiro, não são ideias malucas. É a verdade que a mídia e os cientistas não mostram porque são comunistas. Segundo, e se eu quiser morrer? Qual o problema? A vida é minha!

– Verdade. A vida é sua. O negócio é que se você pega covid, acaba espalhando. O sujeito que resolver morrer assim resolveu também matar. Se você é um suicida, o problema é seu, mas se age como um assassino, o problema é meu. A sociedade tem o direito de se meter na sua vida. Do mesmo jeito que tem o direito de meter na jaula um assassino. Você é um assassino.

– Eu não quero mais chope... – disse, já se levantando enquanto o garçom batia mais dois copos de chope na mesa, como se tivesse raiva da vida.

Natal de Alberto

O Réveillon foi como todos os outros. Ainda de ressaca, Alberto via memes sobre uma cidade chinesa de nome esquisito e uma doença. Só mais um entre os de gente bêbada dando vexame, gatos em cambalhotas, dancinhas, dublagens toscas, *Instagrammers* fazendo graça e outras desgraças. No final do mês, estava aliviado por morar tão longe da nova gripe e não comer morcegos.

Passou o Carnaval entre a embriaguez, o cansaço e o êxtase. Curtiu com a alegria dos inocentes seu último momento de tranquilidade. Em março, estava amedrontado com a doença, mas esperançoso. Não seria nada grave.

Tudo parou em abril. Nada de mais. Seriam só uns quinze dias confinado. Depois vieram mais quinze. Mais um mês. E outro. Aplausos para lixeiros e enfermeiros fortaleciam o ânimo de aguentar-se em casa. Com o humor habitual, a internet enaltecia a possibilidade de salvar a humanidade deitado no sofá e tomando cerveja.

As piadas sobre heroísmo perderam a graça quando Alberto perdeu o emprego. Teria auxílio emergencial. Ou não. Cada hora falava-se de um valor, data e critérios. Restou a esperança de que a grana da indenização pagasse as contas até lá.

O auxílio veio. Baixou aplicativo. Falhou. Tentou de novo. Falhou de novo. Mais uma vez. Conseguiu. Dias depois, foi negado. Não soube o porquê. Viu que gente empregada recebeu. Descobriu que a incompetência é amiga dos ambiciosos. O ano ainda teria outras descobertas.

Descobriu que seu casamento não resistia ao desemprego e à convivência. Entendeu que esta e outras relações da sua vida eram frágeis como a casa de palha da história infantil, que não aguenta o sopro do lobo. Sobraram uns poucos amigos. Os de sempre.

Próximo do fim da grana, conseguiu o auxílio. Teve que ir ao banco. Com fila na porta e sol na cabeça. Voltou pra casa com dor, mas aliviado. Dias depois, descobriu que estava com covid.

No começo, foi gripezinha. A esperança de que continuasse assim durou pouco. Veio cansaço anormal e falta de ar. Um amigo o levou ao hospital. Acabou entubado. Acordou dias depois. Sem saber o que tinha acontecido. Um médico explicou que entrou em coma, mas que ficaria bem.

Sobreviveu para contar. Pediu nas redes que as pessoas se protegessem. Quanto mais se engajava contra a doença, mais as pessoas pareciam não ligar. O medo não era tão grande quanto o incômodo do vazio de estar sozinho consigo mesmo. Ou acompanhado de alguém por quem se descobriu a fragilidade do afeto que os unia.

Passou o Natal sozinho. Imaginando se não teria passado todos os outros sozinho também, apesar da gente em volta. Percebeu as pessoas esperançosas por causa da vacina que não sabem quando nem para quem chegará.

Concluiu que não queria que as coisas voltassem ao normal. Não aquele normal em que tudo era falso. Mas também não queria esta anormalidade em que tudo é cruamente verdadeiro.

Abriu outra garrafa de vinho e brindou sozinho. Bebeu querendo de presente de Natal o esquecimento. Ou alguma ilusão que não fosse amarga como a realidade.

2020 ao retrovisor

Ano horrível! Amaldiçoado para quase todo mundo. No quase, há os que viram o filho nascer, os que encontraram o amor e até mesmo os poucos que conseguiram emprego. Nascimentos, amores e ganhos acontecem todos os anos. Terminam por serem banais. Ainda que filhos, amores e ganhos nada tenham de banal.

É pelo excepcional que normalmente se julga um ano. Dois mil e vinte teve mortes evitáveis, que não evitamos. E inevitáveis cuidados, que evitamos. Aglomerados, sem máscara e sem responsabilidade, ajudamos a matar. Mais por enfado que por necessidade. Mais em busca por prazer e alívio que por afeto. Dois mil e vinte nos impôs necessidades e reagimos a elas com desprezo.

Ano é intervalo de tempo. Contagem de rodopios da Terra em torno do Sol – Terra que é redonda, por favor! Coisa para contabilizar as estações que modificam o clima, lembrando que tudo passa. E que depois se repetem, lembrando que tudo se renova. Entre mudanças e renovações, confundimos o clima com o tempo. O clima faz apenas o calor do verão, o que fazemos durante o tempo quente é coisa nossa mesmo.

Culpar um ano pode ser apenas a forma de contabilizar desgraças na folhinha do calendário. Mas pode servir também para que ignoremos o que causamos durante tempo. Transferência mágica para o "ano" das culpas que são nossas.

Vírus são coisa da natureza, mas esta pandemia precisou de um empurrão humano para acontecer. Biólogos avisam há tempos que desmatamentos geram doenças. Preferimos cortar árvores e matar bichos. Se doença vem depois para os outros e o lucro vem agora para nós, então que se danem os outros.

Em 2020 seguimos nos danando para os outros. Revelador de egoísmo e inconsequência, estampados nas aglomerações de gente que se aglomera porque tem dinheiro para embebedar os outros ou para embebedar-se com os outros. Ou nas gentes que se impuseram sem máscara porque ela é desagradável.

Às vezes com violência, noutras com carteirada, em todas com arrogância e egoísmo. Em 2020, o mau-caráter exibiu com orgulho seu mau-caratismo.

A história mostra que a política é mais hábil em criar motivos para morrer que para viver. Nesse ano, a boçalidade política alcançou novamente limites mortais. Nelson Rodrigues dizia que a burrice é infinita. Mas sempre que ela dá um passo para o infinito, surpreende.

Testemunhamos um presidente negar a pandemia para escapar das responsabilidades e militar contra vacinas só porque o "herói" da vacinação não seria ele. Para os que morrem pela falta de responsabilidade ou vacina, um raivoso "e daí?".

A claque que transforma em mito quem mente e em messias quem mata revelou que a indiferença é pandêmica. A truculência nas redes, com gente *mitando* e *lacrando* mais que dialogando, mostra que a política foi feita com ódio e não com amor.

Num clima assim, não tinha como 2020 ser bom mesmo. Mas nós poderíamos ter sido melhores.

Corações de lata

Dentro de cada um há um coração. Ele é de carne, mas fica dentro de uma lata. Sentimos aquele aperto no peito quando o coração não cabe na lata. Viviane tinha seis anos quando seu pai lhe contou isso. Ela queria entender por que a falta que sentia da mãe lhe apertava o peito.

Para dar amor a quem se ama, o coração cresce. Fica grande, e a gente, alegre. Quando se dá o amor sentido, ele diminui e ficamos em paz. Mas quando perdemos quem se ama, o coração se esconde numa lata. É sua armadura contra as coisas que machucam. Só que ele é maior que a lata, por isso o aperto. Aperto de coração machucado escondido na lata.

Viviane tem dificuldades para se lembrar da mãe. Hepatite malcurada, disseram. Não fosse pelas fotos guardadas, talvez não se lembrasse nem de seu rosto.

Mas nunca se esqueceu do seu amor. Talvez por senti-lo junto de si, dentro da lata.

Com o coração apertado pelas lembranças dos Natais sem sua mãe, viu na TV que uma mulher foi morta a facadas pelo ex-marido, na frente das filhas. Ter o mesmo nome dela apertou-lhe ainda mais o peito. Inchaço de compaixão apertando-se na lata.

Pensou nas mulheres mortas por homens. No tamanho da covardia e da crueldade. Coisa de gente cujo coração está preso na escuridão da lata. Como as carnes de seus corações não podem amar, tenta-se alguma alegria destruindo corações desenlatados.

Seu pai tinha alma de poeta. Coração tão grande que não cabia dentro da lata. Sobravam-lhe afetos, que lhe dava aos montes e distribuía sem freios a quem mais quisesse. Às vezes, a quem não quisesse também. Sofreu por isso. Coração sem proteção de lata sangra a cada mágoa. Com o tempo, costumou-se a ser magoado. Aprendeu a não deixar de amar mesmo sem a proteção da lata. Quando muito, ficava melancólico.

Outros eram o avesso de seu pai. Gente com o coração tão pequeno que não transbordava a lata. Sem apertos no peito. Talvez, muito cedo tivessem experimentado uma mágoa tão grande que seus corações se esconderam bem no fundo dela para nunca mais se machucarem. Olhando, não se vê o coração, só a lata. Coração de lata.

Tornaram-se pessoas sem mágoas, mas que magoam. Sem amor, mas que querem ser amadas. Talvez na esperança de que a falta de mágoas ou o amor de outro retire seu coração do fundo da lata. Não sabem que dentro dela, se a mágoa não entra, o amor de outro também não. Acabam culpando outros pelo amor que não lhes chega. Magoando, ofendendo, matando.

Lembrou-se de outras mágoas. Das suas. E das pessoas que a magoaram. Homens e mulheres com coração de lata. Por todos os cantos, ocupam o público e o privado de nossas vidas. Antes, amantes ou esperanças políticas; depois, assassinos, corruptos, narcisistas, gente vazia.

Respirou fundo para desapertar o peito. Largou o celular, com medo de que as histórias de tantos corações de lata acabem enlatando seu coração de carne. Aconchegou-se nos braços amorosos de seu pai, como um coração protegido pela lata.

Baratas e andorinhas

Teve a impressão de que duas baratas correram até a cozinha. Ou seria a mesma indo e voltando? Gabriela se entristece sempre que vê baratas. Tem nojo também. Mas em dias melancólicos elas lhe são mais entristecedoras que nojentas.

Devia ter uns oito ou nove anos quando uma barata, daquelas cascudas e brilhantes, apareceu na cozinha. Seu pai, previdente, atacou-lhe com inseticida. Não só na cozinha, mas na casa toda. Funcionou. Nenhuma outra barata apareceu. Nem mesmo mortas. O único sinal do veneno foi o cadáver das andorinhas.

Dias antes, um casal de andorinhas aninhou-se no buraco do forro de gesso da varanda. Gabriela ficou encantada. Eram seus passarinhos. Todo dia de manhã, antes mesmo do lanche, corria para lhes desejar "bom-dia!". Aguardava ansiosa a vinda dos filhotes. Agora, se viessem, seriam órfãos.

Naquele dia, aprendeu que na vida há mais cinza que branco e preto. Que às vezes, tentando evitar um mal, destrói-se um bem. Que buscando alegrias e prazeres, às vezes produzimos tristezas. Tornou-se receosa de matar os passarinhos de sua vida.

Pela TV, assistia à invasão do Capitólio como se fosse uma colônia de baratas cascudas, armadas e chifrudas infestando uma casa brega em busca de açúcar. Sabe que não deveria, mas não consegue deixar de entristecer-se quando vê gente que, podendo ser andorinha, orgulha-se de ser barata.

A vida é cheia de venenos. Frustrações. Ódios. Vaidades. Desamores. Traições. Egoísmos. Contaminam aos poucos. A cada tristeza que, por não sabermos sofrê-la, tentamos nos desfazer dela espalhando-a. Como se uma barata pudesse se desenvenenar envenenando outras.

Gabriela consome todo dia seus venenos. Pelas imagens e sons das telas. Na grosseria do guarda. Na deselegância do esbarrão sem pedido de desculpas. Na fechada do motorista que ainda por cima lhe xinga quando vê que é mulher. A luta por manter-se andorinha e voar mais alto que as baratas é diária.

Andorinhas voam com graça e agilidade. Baratas voam com um desengonço barulhento. Como pássaros grotescos. Meio-termo entre o voo e a queda, o real e a dissimulação. É como uma caricatura. Engraçada quando se reconhece o caricaturado no exagero dos traços.

Os venenos quotidianos nos tornam grotescas caricaturas humanas. Podendo ser solidários, respeitosos e racionais. Nos permitimos ser insensíveis, arrogantes e idiotas. Às vezes fica até engraçado de se ver. Noutras é só triste e feio mesmo.

Gabriela viu o grotesco no chifrudo do Capitólio. Meio animal. Meio viking. Meio barata de antenas curvas. Caricatura de democracia corna, que trai o todo em benefício de alguns. Dos que pensam igual. Dos que são do meu lado. Dos que são da minha ideologia. E o resto, que se envenene, pereça ou desapareça.

As baratas atravessaram novamente a cozinha. Duas mesmo. Como o casal de andorinhas da sua infância. Pensou em esmagar-lhes, mas não teve ânimo para deixar o sofá. Desligou a TV e deitou-se desejando sonhar que era andorinha e voava para bem longe de tudo isso.

Na hora H do dia D

No hospital, o salão sisudo tinha aquele ar melancólico das repartições. De móveis e decoração insossa. Fosse aquele um domingo normal, combinaria com a preguiça das tardes despreocupadas. O ministro destoava do ambiente. Pelo terno e semblante. A movimentação atípica de jornalistas dava à cena o ar de espetáculo.

Cumprimentou com a ênfase dos militares. Os curtos agradecimentos protocolares preparavam o terreno para o que realmente se queria dizer ali. Não vamos fazer marketing!, sentenciou o general ministro. Uma, duas, três vezes. Talvez, sem se dar conta de que dizer isso na hora H do dia D era um ato de marketing.

General que é, faz o que aprendeu enquanto ganhava estrelas nos ombros. Contra-atacou os inimigos do chefe, sempre em guerra por poder. Preocupação demais com o espetáculo faz parte da estratégia da busca por popularidade quando se tem preocupação demais com a própria imagem e de menos com a morte de tanta gente.

Sobrou marketing nas desqualificações absurdas de vacinas que implantariam chips, mudariam o sexo ou converteriam humanos em jacarés. Da apresentação de remédio como se fosse milagroso à oferta a uma ema, todo o espetáculo da hidroxicloroquina foi marketing. Desqualificar a ciência é marketing. Dizer "e daí?" diante da morte de muitos é marketing.

O marketing é um nada. Palavras que geram palavras e desviam olhares. Que ganham aplausos, joinhas ou carinhas feias e *unfollows*. Para além dele, faltam oxigênio, vacinas, seringas, insumos, leitos, liderança, responsabilidade, vergonha na cara, humanidade. Sobram insanidade, espanto, truculência, tristeza, raiva, mentiras e cadáveres. Muitos cadáveres.

Marketing é espetáculo. São Paulo fez o seu com choro. O Rio, com o Redentor ao fundo. Cada um postou suas frases de efeito. Até agora, a vacinação é espetáculo. Continuará assim enquanto não houver vacina para todos. Na falta de um espetáculo para chamar de seu. Coube ao general fazer cara feia na hora H do dia D.

A vida tornou-se espetáculo. Em tudo. Nas redes e nas ruas. Vestimos e nos emperiquitamos para parecermos algo para outros. Espetáculos de nós mesmos. Imagem que às vezes esconde um eu oposto ao que se mostra.

Muitos sucumbem às imagens de si mesmos e passam a viver o que querem parecer aos outros, à revelia dos próprios sentimentos. Poucas são as coisas que tornam uma vida tão miserável quanto não conseguir ser quem é. Vive-se pela metade. Entre alegrias que não alegram e tristezas que não entristecem, sobra apenas a angústia de querer outra vida. De querer uma vida. Sofre no desgosto de uma existência sem gosto. Existir no espetáculo é "desexistir" nos sentimentos.

Talvez por isso tanta gente vazia. Vazias de si mesmas. Amantes do vazio. Cúmplices do vazio ao ignorarem duzentas mil mortes porque são apenas número e gráficos. Com as mortes escondidas em hospitais, falta-lhes o espetáculo para serem levadas em conta.

Isso é antigo. Novidade é desistir da vida real para viver só o espetáculo. Como o casal que se mostra feliz e apaixonado nas redes enquanto, por detrás das lentes, há violência, traição e desprezo. Como se imagens fofas compensassem um lar mórbido. Ou como se general com cara de bravo e desculpas esfarrapadas compensasse todo o descaso de um governo preocupado apenas com as próprias hemorroidas.

La dolce vita

Quando criança, Giovanna era daquelas meninas que estrangulava pelúcias em abraços escandalosos. Continuou assim. Adulta, abraça mais pessoas. Quando há pessoas para abraçar. Na falta, contenta-se com doces.

Há um para cada momento. Para os felizes, quindim. Solar, brilhante e com aquele *croc croc* dos pedacinhos de coco queimado que parecem fogos de artifício fazendo um Réveillon na boca.

Os momentos de tranquilidade pedem pudim. Simples, sem ser banal. Cremoso, sem ser rançoso. Espetacular, sem ser presunçoso. E ainda tem aquela sensação geladinha na boca que lembra o ar fresco prometendo um bom dia.

Mas para encarar a tristeza, a angústia e todas as infelicidades, leite condensado. Aos litros. Bruto e energizante como choque elétrico. Bebido direto da lata, sem fineza. Ao contrário de quindim e pudim, leite condensado é coisa íntima.

Descabelada, descalça e nua, atraca-se à lata em pé, em frente à porta aberta da geladeira. Ou no sofá, cutucando as tristezas com filmes melosos. Às vezes, aos prantos, lambuza-se no banheiro. Entre o trágico e o patético. Como se, tomado pelos poros, a doçura do leite condensado fosse mais intensa.

Os vizinhos acham estranho quando a veem chegando do mercado com tantas latas. Uma vez, um deles perguntou se ela era doceira. Talvez precisasse de um doce. Ou só puxar assunto, vai saber. Ela olhou o sujeito de alto a baixo. Não era feio. Também não era bonito. Dava para o gasto, pensou. Respondeu com um não seco e seguiu sozinha.

Busca os doces para tirar o amargor da sua vida, que começou com o isolamento. Menos pela pandemia e mais por vontade, só que com desculpa sanitária. Solitária por vontade e, ao mesmo tempo, sofrida de solidão.

Quer gente, mas não quer gente amarga. Daquelas que amarguram com sua estupidez. Quer gente doce como leite condensado. Que lhe empastele as entranhas de doçura. Enquanto não acontece, vive como pária. Lambuzada de leite condensado.

Vê o mundo mais pelas notícias. Amargas como jiló. Tudo encarece enquanto ela empobrece. As compras, reduzidas ao essencial. E leite condensado é o essencial mais que essencial. Mais que saúde e estudos. Para que conhecimento e saúde, se a única coisa que a faz sentir-se bem já sabe qual é?

Num devaneio, pensou em encher a banheira de leite condensado. Talvez colocasse alguns biscoitos também, só para que algo lhe roçasse o corpo durante o banho. Colocaria alguma música trágica. Talvez Turandot! Naquela ária em que a princesa entristecida decreta ao mundo a insônia, terminaria tudo, deixando o vermelho dos pulsos manchar o doce mar amarelado com ilhas de biscoito.

Esqueceu a ideia tola numa lata de leite condensado. Tomada em pé mesmo. Não tinha banheira. Nem dinheiro para encher uma. Talvez nem de água.

Ficou esperançosa quando soube da montoeira de leite condensado que o governo comprou. Coisa boa. Talvez estivessem como ela, tentando livrar-se dos ressentimentos. Tentando deixar de ser pária. Tentando curar-se de uma doença da alma para a qual não há remédio ou vacina. Só o alívio condensado.

Ou talvez não. Só outro pensamento bobo. Otimismo de uma alma curtida na alegria do leite condensado.

Cerveja, jornais e BBB

Sufocado, sem saber bem do que ou por que, Carlos desligou a TV. Sabia que não queria mais ver ou ouvir o que ela mostrava. Sobrou o silêncio e o seu rosto refletido na tela escura. Encarou-se, tentando inutilmente não pensar em nada.

Há um dentro e um fora de nós. Dentro, sensações, sentimentos, pensamentos. Fora, imagens e barulhos que só ganham harmonia quando trazidos para dentro. Em sua brutalidade material, o mundo é como é. Sem sentido, significado ou propósito. Todas essas qualidades são coisa de dentro. Acontecem quando as imagens e barulhos nos entram pelos sentidos e provocam um espírito atento.

Por isso a flor é uma beleza para alguns, risco de abelha para outros. Para outros mais, só uma flor mesmo. Carlos chorava emotivo de uma tristeza que talvez já estivesse lá antes de ligar a TV. Talvez não. Mas se lá já estivesse, o que a teria causado? Quem sabe outras imagens e sons já esquecidos. Ou talvez a tristeza é que fosse a memória das imagens e sons dos quais já não se lembrava.

Parecia bem antes. Relaxava em casa depois de um dia de trabalho normal e calor descomunal. Abriu uma cerveja bem gelada para esfriar e relaxar. Depois outra. Comeu algumas sobras do almoço do dia anterior. Milagrosamente, ainda comíveis. Ligou a TV.

Buscou notícias. Sujeito de terno, meio gordo e desajeitado, noticiava crimes banais e bárbaros com a mesma gritaria. Algumas vezes, rebolava ao som de uma sanfona. Noutras, descrevia assassinatos com cara de bravo. Com câmera em close, repórter perturbava com perguntas desnecessárias a tristeza de uma mulher chorosa pelo filho morto. Mudou de canal.

Moça bonita com cara assustada. Ao vivo. No desconcentrante ambiente da Câmara dos Deputados. No estúdio, gente bem-vestida conversava e analisava com a calma de quem parece saber o que fala, mesmo quando não fala coisa com coisa.

Falavam de política, que deveria ter a ver com projeto, futuro e coletividade. Mas o assunto era os interesses de quem está lá. Enquanto estiverem lá. Para permanecerem lá. E de gente fora de lá, que ganha muito enquanto os que estão lá continuarem fazendo o que fazem lá. Talvez ainda haja política em algum lugar, pensou. Mas não lá.

Precisou de mais uma cerveja, para compensar o nojo e a raiva que os jornais lhe trouxeram para dentro.

Buscou entretenimento. *Reality show*. Mais ou menos ao vivo. Gente confinada em uma casa, mais ou menos como bichos em zoológico. Em jaula mais ou menos aconchegante. Como a dos bichos de zoológico, mas com o desaconchego dos muros em volta. Outra péssima ideia.

Gente ensimesmada e paspalha com suas histrionices, estroinices. Gritinhos e dancinhas. Esforço anormal para chamar a atenção. Competição desumana da qual só humanos são capazes. Moralismo de quem esconde os próprios defeitos tratando com crueldade os mesmos defeitos nos outros. Bastou.

Encarando-se na tela escura, deu-se conta de que, ligada, a TV mostra como somos por dentro. Desligada, vemos como somos por fora. Procurou outra cerveja, na frágil esperança de que a garrafa lhe trouxesse a paz que é incapaz de encontrar nas telas.

Mais de mil palhaços no salão

Achou que fosse morrer. Que todos fôssemos morrer. Mônica blindou a casa. *Quarentenou-se* por meses. Compras por aplicativo, deixadas na porta do prédio e recolhidas em uma operação típica de guerra química. Máscara, *face shield* roupas compridas, botas, touca, óculos e um macacão acetinado por cima. Tudo desinfetado com álcool, lavado do jeito que desse para lavar e relavar. Nada na casa escapava à higienização. Nem mesmo as paredes.

Seu marido achava exagero, mas não discutia. Ficou chateado quando o gato não pôde mais voltar depois de uma escapulida do apartamento. Portas e janelas foram fechadas. Foram quase três dias ouvindo miados. Resolveu sair para pegar o gato. Pegou e não voltou.

Mônica não reagiu. Preferia que ficassem longe. Por medo. Por raiva. Por coisas que nem sabia que nome tinham. Não amava o gato nem o marido. Nem sabia sobre amor o suficiente para saber se ama ou amou um dia. Conhece apenas o medo. E este, agora, lhe é maior que qualquer outro sentimento que possa existir.

No tédio sanitário, entregou-se a vídeos. De todos os tipos. Até eróticos. Dos mais pesados e incomuns. Debates e monólogos políticos, às vezes mais pesados que os pornôs. Preferia aqueles em que gente mais ofende que explica. Evitava qualquer coisa que pudesse contaminar seu corpo, mas entregou-se sem limites à contaminação de seu espírito com toda podridão que odiosos e ressentidos são capazes de transmitir pelas redes.

Estava ali sua liberdade. Na transgressão solitária de sua audiência ao censurável. Evitava toda sujeira por fora, mas queria mais e mais imundície por dentro. Toda que pudesse consumir em pensamentos confusos e tristes.

Assustou-se com uma barata na cozinha. Com fúria, despejou sobre o inseto toda uma lata de inseticida. Depois, veio o pânico. Como entrou? Os ralos! Havia esquecido de tampar os ralos! Este tempo todo, os ralos!

Sentiu uma raiva imensa. Por si mesma. Pela pandemia. Pela quarentena. Pela casa esterilizada. Pelo seu corpo desinfetado. Pelo gato fugitivo. Pelo marido sumido. Pela gente aglomerada do lado de fora. Pela política. Pela pornografia. Pelos malditos ralos! Quebrou o que pôde em casa.

Abriu a porta com a fúria de quem a arromba e saiu sem saber para onde. Queria gente. Queria deitar na areia. Sentir o cheiro da terra. Sentir gente. Sentir o gosto de gente.

Um sujeito, por educação, alertou-lhe sobre a máscara. Pensou que ela a tivesse esquecido. Encarou-o de um jeito que o paralisou. Segurou-lhe a cabeça com força e o beijou com tesão. Depois de desgrudar as línguas e afastar os lábios num estalo, lambeu-lhe o pescoço e foi embora.

Decidiu que se aglomeraria. Para o deleite dos perversos. Sem máscara. Sem vacina. Sem cloroquina. Sem ivermectina. Sem vergonha. Sem pudor. Pularia o Carnaval clandestino que encontrasse. Não queria mais saber de saúde e doença, direita ou esquerda, matar ou morrer. E que buscaria o êxtase prometido em tanto riso, tanta alegria e nos mais de mil palhaços no salão.

⊖ O ódio nunca dorme

O ódio perece acordar cedo, mas ele nunca dorme. Nós é que deixamos de reparar na sua presença.

Ele está lá, na buzina estridente que te acorda. No grito do vizinho com a esposa e na escarrada que ela dá na omelete dele. No mau humor da mulher que aturou gente inconveniente no ônibus que a leva como se fosse gado.

Nas notícias que pipocam na tela logo cedo. No deputado parrudo que bajula presidente odiando ministro. Na bajulação do indignado que o aplaude. Na reação dos ministros que deixam o ódio mútuo de lado para se unirem contra alguém mais odiado.

No jogo performático e canastrão de quem se esforça por reputação entre gente que enaltece *mitadas* e *lacradas*, mas não ideias. No oportunismo de quem busca reputação cutucando os ódios de uma gente ressentida. Na política de quem quer matar em nome da vida, guerrear em nome da paz e ser autoritário em nome da liberdade.

Nas perversidades do oprimido que acha que só se liberta da opressão quando se torna opressor. Na arrogância de quem fala em nome de muitos sem nunca ouvir ninguém. Na confusão entre ideologia e caráter que torna pessoas santos ou demônios, heróis ou bandidos, não pelo que fazem mas em nome do que fazem.

Na *finesse* dos que acham que as vidas devem estar a serviço da economia e não a economia a serviço da vida. Na hipocrisia de herdeiros que falam de seus méritos e dos deméritos de quem não herdou nada. No nojo de quem tem etiqueta, mas não tem ética.

No olhar de desconfiança para o preto parado na esquina. No corpo do segurança que impede a entrada da trans no shopping. Nos concretos pontiagudos colocados nos viadutos para que os que nada têm não tenham também onde dormir. Na brutalidade que higieniza a cidade retirando com água fria gente suja das ruas e culpa a solidariedade pela volta delas.

No sacerdote que fala com raiva coisas raivosas. No que julga tudo e todos em nome de Deus, exceto a si mesmo, sempre certo porque cita Deus. No que expulsa da igreja o gay por ser pecador, mas abraça o sovina, o guloso, o luxurioso e o vaidoso por serem pecadores. Na palavra que fere como tapa dita com a soberba de quem se acha santo por ferir com palavras.

Na banalidade dos pequenos rancores. Na preguiça perturbada. No ressentimento do babaca e no nojo de quem o acha um babaca. No orgulho de quem se orgulha de olhar os outros como indignos de se orgulharem. Na vaidade de quem quer ser visto por todos enquanto só vê a si mesmo.

O ódio nunca descansa. Está aí, aqui e acolá. Em mim e em você. Para odiarmos como quisermos. E por haver querer no ódio, quando odiamos, somos nós quem odiamos. O ódio não odeia por nós e não odeia nada do que odiamos. Ele só odeia o amor, porque onde há amor não há ódio.

Duzentos e cinquenta e um mil mortos

Duzentos e cinquenta e um mil mortos. Camila pensa no pai. Olha para a poltrona vazia para lembrar-se dele. Morreu quando cadáveres ainda eram contados às centenas. Adoeceu, piorou, hospitalizou-se. Despediram-se com um até logo e sorriso amarelo. Da UTI, sem visita, logo veio a notícia do falecimento. Não o viu antes da rápida cremação. Pensa se o verá novamente algum dia.

Duzentos e cinquenta e um mil mortos. Armando se sente aliviado por ter tido covid. Ficou mal. Muito mal. Achou que fosse morrer. No auge do sufocamento, ligou para a irmã. Não queria morrer sem seu perdão. No dia seguinte, começou a melhorar. Sentiu-se forte. Superior. Vitorioso onde tantos tombaram. Saiu às ruas sem medo, sem cuidado e sem máscara. Acredita que está imunizado para sempre e acha fraca essa gente que se protege. Brigou com a irmã, que lhe aporrinha pedindo que use máscara.

Duzentos e cinquenta e um mil mortos. Padre Antero está desolado. Do altar da igreja esvaziada, celebra a missa com o ritmo de sempre. Maquinalmente os fiéis respondem. Naquele dia, o rito da comunhão lhe pareceu diferente. Rogou "tende piedade de nós" com tristeza. Percebeu que naquele momento ele era quem precisava de consolação.

Duzentos e cinquenta e um mil mortos. E daí? Flamengo campeão! Cam-pe-ão! Nada mais importa para Flávio. Desempregado pela pandemia. Sem vacina no horizonte. Abandonado pela esposa. Um derrotado. Perdedor em tudo. Pelo desfecho de um jogo que não joga, ele, que nada fez, sente o orgulho de ser campeão.

Duzentos e cinquenta e um mil mortos. Alfredo lê a notícia com apreensão. Falta só fecharem tudo de novo. Teme pelas suas lojas. No ano anterior, o lucro aumentou. Fechou por um tempo. Demitiu. Cortou o que dava. Quando reabriram, venderam bem. A internet ajudou. Não quer a agonia da incerteza novamente. Anima os empregados dizendo que se fizerem tratamento preventivo, será só uma gripezinha.

Duzentos e cinquenta e um mil mortos. Parte deles Roberto conheceu na UTI. No começo, frustrado por não ter protocolo para tratá-los. Depois, exausto pela falta de colegas adoecidos. Triste desde a primeira enfermeira morta. Pelos pacientes não se permite entristecer. Enlouqueceria se o fizesse. Piores que as frustrações e o cansaço são os parentes aflitos. Ameaçam para que dê cloroquina e ivermectina. Quando tomar a segunda dose da vacina, se tomar a tempo, talvez sinta menos apreensão. Lamenta que para ignorância não exista remédio ou vacina.

Duzentos e cinquenta e um mil mortos. Mil quinhentos e oitenta e duas pessoas mortas em um dia. No palácio, o YouTuber influencer conversa com o coronel sobre o que dizer, o que inventar. Nada! Diz o coronel que acha aquele menino mimado, arrogante e burro. Não é importante. Não é problema nosso. Ninguém liga pra isso.

Melissa ao espelho

Penteava os cabelos por horas. Não apenas por vaidade. Era o momento de estar só consigo mesma. Quem a observasse veria que, escovada após escovada, encarava-se no espelho. Vez ou outra parecia desconcentrar-se. Inclinava a cabeça e mirava a cabeleira com olhos tortos e boca entreaberta em frenéticas escovadas. Depois o ritmo diminuía, a cabeça se endireitava e voltava às escovadas lentas e olhar penetrante no espelho.

O que buscava na própria imagem era um mistério. Mesmo para quem a conhecia bem. Ela não falava no assunto. E os íntimos reconheciam naquele momento uma intimidade que suscitava mais respeito que curiosidade.

Uma vez, mostrou-se nesse estado nas redes sociais. Seguidores acharam estranho. Alguns entenderam como vaidade. Tipinho ou alguma forma de futilidade para outros. A maioria curtiu porque tinha o hábito de só curtir mesmo. Só uma meia dúzia percebeu o ensimesmamento dela.

Era muito difícil para gente que nunca se viu de verdade entender o que se passava com Melissa ao espelho. Se bem que ela também não ajudava. Vendia-se três, quatro ou mais vezes por dia como uma imagem nas redes. E só uma imagem. Fotos e mais fotos de biquíni com alguma frase séria que não era dela. Ou vídeo em que dublava uma fala curta e rebolava.

Likes e seguidores vinham aos montes. A maioria homens. Quase todos a elogiavam. Ninguém ali a conhecia. Talvez nem ela mesma.

Conhecer alguém é conseguir ver para além da imagem. É perceber aquela essência que é invisível aos olhos, mas visível ao coração. Talvez fosse isso que Melissa procurava no espelho todos os dias. Inutilmente. Não sabia que essas coisas só enxergamos através dos outros. Que o próximo é nosso espelho quando nosso coração está próximo de alguém.

Entregar-se ao olhar dos outros também não adianta. Melissa entregou-se como pôde em caras e bocas. Peitos e bundas. Estáticas ou dançantes. Expressivas ou canastronas. Recebeu milhões de elogios e comentários. Alguns simpáticos. Outros obscenos. Todos inúteis. Falas de cegos que só veem imagens.

Consumindo o que vê, o mundo tornou-se cego. Cego de si mesmo. Cego ensimesmado. Carente de si mesmo em procura do essencial nos lugares errados.

Em busca de amores, encontrou desejos. Em busca de sentido, encontrou o consumo. Em busca de ética, encontrou cancelamentos. Em busca de moral, encontrou lacrações. Em busca de líderes, encontrou ídolos.

Segue a vida vendo corpos, lacrações, mitagens, cancelamentos e ofertas imperdíveis. Tapumes que escondem com imagens e pantomimas o vazio de nós mesmos.

Melissa foi enterrada sem velório por causa da covid. Nas rápidas orações antes da cremação, seu empresário tirou fotos do corpo. Seria a última postagem. Desistiu quando encarou o olhar de reprovação do coveiro.

Por ironia ou acaso – ou os dois –, seguidores compraram uma coroa de flores com espelho ao centro e uma frase tirada do Pequeno Príncipe: o essencial é invisível aos olhos. Ao postar, descobriram que o perfil de Melissa não existia mais.

Paulo confinado

A comida tinha um aspecto bom. Observou a fumaça que exalava do prato por muito tempo. Tempo demais. Talvez pela primeira vez estivesse ali, pleno, diante da comida.

Desde que adoeceu, Paulo tem feito e pensado muitas coisas pela primeira vez. Coisas demais. Íntimas de uma intimidade sem segredos, mas cheia de mistérios. Desconhecida, mas familiar porque sempre esteve ali, em algum lugar dentro de si.

Não saberia explicar o porquê. Seriam para ele besteiras até bem pouco tempo. Perda de tempo. Como apenas olhar a fumaça subir retardando o prazer de comer.

Talvez seja isso. O prazer. Sem conseguir sentir cheiro ou o gosto da comida, sobra só a aparência. Põe na boca para encher o bucho. Mas antes precisa pô-la na mente para encher o espírito do tesão banal de uma comida gostosa.

Não era retardo do prazer, mas sua antecipação às engolidas. Também é um prazer diferente. Pouco explorado. Estava lá o tempo todo, mas fruído desapercebidamente.

Lição da pandemia. Sem olfato e paladar, aprendeu a ver as coisas de uma forma diferente. Mais contemplativa e verdadeira. Também aprendeu a pensar tudo de outro jeito.

Havia tanta gente para seduzir; tanto dinheiro para ganhar, acumular e gastar; tanta vaidade para satisfazer, que não havia tempo para pensar na brevidade da vida. Agora pensa. Apesar de talvez não ter mais tempo para viver.

No silêncio das noites insones e mal respiradas, pensava nas coisas desimportantes que tanto se esforçou por fazer como se fossem vitais. Nas seduções que lhe trouxeram corpos, mas não amores. Nas coisas inúteis que comprava porque esperava encontrar nelas a felicidade perdida em algum lugar fora de si mesmo. Na vaidade, que alimentou na esperança de que ela um dia alimentasse sua autoestima. Tudo isso tornou-se sem sentido a partir do instante em que sua vida ganhou algum sentido.

Paulo aprendeu vendo e sentindo a morte de perto. Entristece ao perceber que outros não aprendem.

Veem a morte contabilizada em números e gráficos. Mas desenhos e algarismos não os sensibilizam. Palavras tentam, inutilmente, traduzir o horror de tantas mortes, mas parece lhes faltar a imaginação que faz dos números, desenhos e palavras, imagens nos espíritos.

A morte não os assusta. Antes, a desejam. Como o vampiro deseja o sangue ou o urubu a carniça. Alimentam-se da morte de tudo e de todos porque se sentem menores que tudo e todos. Fraco, quando alguém se vai pensa que é forte apenas por ter ficado. Tolo, pensa ser esperto quando contraria a razão, como se possuísse inteligência capaz de ver o que mais ninguém vê. Iludido de que ilusão é coisa dos outros.

Gente assim é como o vírus. Muda para proteger suas ilusões e ambições. Sufoca com sua burrice e indiferença. Mata com sua irresponsabilidade e sadismo.

Respirou o mais fundo que pôde. Sentiu a fraqueza do corpo e a tristeza do espírito a lhe imporem descanso. Deitou pensando num amanhã sem vírus e sem gente virulenta.

Humana comédia

Ao sairmos de lugares tenebrosos, o Poeta apontou para uma enorme porção de terra de variados tons de verde. Muitos claros e geométricos, indicando plantas novas cultivadas pelo esforço de alguma inteligência.

Outros, mais escuros e entremeados por pedaços avermelhados. Florestas sendo postas abaixo pelo esforço de outras inteligências.

Traços curvilíneos ligavam esses dois verdes a inúmeros amontoados disformes de oscilante luminosidade.

Quanto mais perto se chegava, mais sombria e malcheirosa a terra se mostrava. Mesmo do alto, podia-se sentir o odor horrível da morte misturado com a acidez do ódio e o ranço da indiferença.

– Aonde estamos indo?

– A um lugar de indefinições. Onde tudo é incerto e, por isso, medonho e esperançoso. Cegos de soberba convivem com dóceis entristecidos. Entre uns e outros, legiões de ressentidos bajulam os primeiros e tratam com perversidade os segundos.

– Mas os entristecidos não mostram, falam ou gritam suas tristezas?

– Sim. Mas recebem por isso a indiferença dos soberbos e o achincalhe dos ressentidos.

– Mas não há quem se oponha a tal injustiça?

– Sim. Os amorosos. Respeitados por uns poucos. Odiados por outros poucos. Tratados com indiferença pela maioria.

No centro daquela vasta terra, destacava-se uma torre em forma de espada cravada em uma enorme cabeça morta. Dela, era possível ouvir impropérios ditos com raiva a uma multidão rastejante à sua volta. Que os repetia com ainda mais raiva e os entremeava com gritos, tiros e danças desconjuntadas.

Mais de perto, os cheiros pútridos tornavam o ar pastoso e translúcido. À penumbra que se avistava com dificuldade era possível distinguir uma grande fila de lamuriosos.

– *São os mortos.* – Apontou o Poeta. – *De doença, raiva, fome e brutalidade.*

Andavam lentamente em direção a não se sabe onde. Enfileirados e sozinhos, cada um cantava sua própria história, dores e sofrimentos em uma procissão macabra de rostos retorcidos, lembrando que mesmo após a morte levamos conosco o que cultivamos em vida.

Uns poucos desenfileirados pareciam planar sobre as multidões com encantador ar calmo, mas compadecido.

– *Os amorosos!* – disse o Poeta, como se adivinhasse minha curiosidade por aquelas figuras cativantes.

– *Não são muitos...* – deixei escapar num murmúrio, quase sem querer.

– *A maioria das pessoas daqui se perde de si mesma. Embevecidas pelo poder sobre os fracos ou pela raiva de ser fraco. Unidas no ódio que sentem pelos que consideram indignos.*

Uns dominam com brutalidade e indiferença. Outros tentam se livrar da dominação com brutalidade e indiferença.

Poucos, apenas, os que percebem que o que lhes aflige não é o outro, mas a brutalidade e a indiferença nascidas do ódio que acalentam.

Ao deixarem de reparar nos outros, encontraram a si mesmos. Perceberam e enfrentaram dentro de si o ódio abominável. Aos poucos, tornam-se amorosos. Começaram amando o amor em si mesmos para em seguida amá-lo nos outros.

– Poeta, por que me mostra este lugar entre a alegria e a tristeza? Entre o céu e o inferno? Reino do ódio e suas filhas, a brutalidade e a indiferença?

– Para que diga aos teus o quanto os homens podem produzir mortes para se iludirem de que estão a viver.

Dilema de Sâmela

Tudo parou. Novamente. Tristemente. Com vírus reforçado e nossa vigilância já cansada de uma rotina de incertezas. Sâmela não sabe o que fazer. Tem medo da morte, mas também da fome.

Vê números mostrando os doentes de hoje e gráficos sobre os mortos de amanhã. Entende os cálculos e as imposições da doença. Ela também calcula. Dinheiro que não entra hoje e as necessidades de amanhã. Tem o trabalho, o pouco que ganha e os filhos. Deixaria de comer para alimentá-los. Morreria para salvá-los. Mas esses extremos não resolvem seu problema.

Pensa que esse sofrimento deveria unir as pessoas. Mostrar que a vida é efêmera demais para perdê-la com coisas efêmeras. Que tudo pode mudar e não importa o quão sólido pareça o seu mundo, ele pode desabar em instantes. Que não importa o poder ou a grana que se tem, um espirro pode lhe tirar tudo.

Sâmela sabe que as pessoas sabem que dependem umas das outras. Mas também sabe que elas não sabem ser generosas com as outras. Não aprenderam ou desaprenderam em algum momento. Talvez, por medo do egoísmo dos outros, anteciparam-se garantindo só para si a colaboração dos outros. Com força. Depois, pagando salário. Comprando gente. Por fim, todos viramos mercadorias no mercado das desumanidades.

O vírus é indiferente a tudo isso. Ele é o que é e pouco importa o que se pense dele. Faz o que faz do jeito que sua natureza o inclina. Sem sentimentos. Sem pensamentos. O vírus é só ação. Mas gente não. Gente pensa e sente, depois age. E pensando e sentindo, muitos ajudam o vírus a matar.

Pensam neles mesmos. Nos seus cálculos, somam apenas os próprios sentimentos. Como o que nos faz humanos são nossos sentimentos e pensamentos, a humanidade alheia não conta. E por que contaria, já que mercadoria não é gente mesmo?

Dilema de Sâmela. Precisa sair de casa para trabalhar, porque trabalhar é a única forma de conseguir dinheiro para alimentar os filhos. Arrisca sua vida e a de outros com isso. Para agir sem riscos, precisa de dinheiro ou comida, mas não lhe dão. Precisa viver. Precisa arriscar a vida para viver. Precisa vender a vida para viver.

Sâmela não culpa o vírus, porque ele é o que é. Mas culpa gente, que não é obrigada a ser o que é. Culpa-os pelo que sentem, pensam e fazem. Ou deixam de fazer. Culpa os oportunistas que veem na pandemia o momento de passar a boiada. Culpa os arrogantes que, de máscara no queixo, saem por aí dizendo que o incômodo é coisa de escravos. Culpa os negacionistas que, por estupidez ou má-fé, ignoram e fazem ignorar que somos todos escravos das circunstâncias. Culpa a si mesma, por perder tempo pensando em culpas quando deve decidir se sai em busca de dinheiro ou não.

Perdida nos pensamentos, quando se deu conta, olhava bobamente para o saco de arroz e para as pessoas que cruzavam rapidamente a janela da cozinha. Suspirou, inconformada por não saber ao certo se devoraria ou se seria devorada.

Marília e o real

Doutor, o que eu faço?, perguntou Marília, cansada e melancólica, para o médico que a olhava com ar indefinido. Talvez por sono. Ou não soubesse o que dizer. Teria ouvido? Sem resposta, voltou-se para o paciente. Pálido, de lábios azulados e corpo frio.

Marília sabia a resposta. Mesmo assim, queria uma resposta do médico. Só pela esperança de ouvir algo esperançoso. Mas não havia o que dizer. Não havia o que fazer.

Pensou que morrer no susto, como quem toma um tiro que sequer sabe de onde veio, seria melhor do que aquela morte. Lenta. Consciente. Em que se experimenta o fim da vida a cada respiração insuficiente. Talvez, se tivesse uma arma, lhe desse um tiro. Besteira!, disse com lábios desobedientes. Alto o suficiente para ser ouvido. Baixo o suficiente para parecer um gemido. Insuficiente para lhe afastar pensamentos tristes.

Segurou-lhe a mão fria. Era o que restava fazer. Desconhecidos, só tinham um ao outro naquele momento. Solitários com suas tristezas. Ele, sem os que ama. Ela, sem poder dividir aquele e outros momentos ruins com quem ama. Todos surdos ao que diz.

Como que enfeitiçados, dizem que a realidade dela não existe. Que aqueles mortos, cujo último toque humano que sentem é o da sua mão, são uma fantasia. Invenções de médicos conspiradores.

São pessoas que a amam. Mas que acreditam que a melhor forma de demonstrar-lhe amor é desacreditando seus sentimentos quando não acreditam nas causas de seu sofrimento. Amor de carinho seletivo, a depender da narrativa que dá forma às aflições de quem se ama.

Os sons irritantes dos aparelhos em volta anunciaram o esperado. Condicionada a deixar de lado os sentimentos diante das necessidades, seu rosto recuperou num instante o ar profissional. Era preciso registrar a morte. Providenciar a retirada do corpo. Preparar para a vinda de outra mão fria.

Enquanto desconectava os aparelhos, sentiu um toque leve no braço. Olhou para trás maquinalmente. Sentiu o coração tentando lhe escapar pela boca quando viu o paciente ali, em pé, sorridente a lhe tocar o braço.

Ficou sem reação. Petrificada. Obrigado!, disse o morto, sem desfazer o sorriso. Olhou rápido para a cama e lá estava o corpo. Inerte como deveria estar. Virou-se novamente. Não havia ninguém. Foi-se.

Acordou assustada e suada. Perdida entre o pesadelo que parecia realidade e a realidade que lhe parecia tão estranha quanto um pesadelo. Ainda eram quatro da manhã.

Não conseguiu mais dormir. Pensou e repensou nos pacientes, nas mortes, nos amores. Na realidade e na fantasia. No cansaço e no sono perdido. Tomou café mais cedo. Ouviu calada a palestra do pai que explicava, entre uma torrada e outra, o quanto a população era enganada.

Tomou um ônibus lotado de pessoas com queixos mascarados e falantes bocas desmascaradas.

Começou o turno já cansada e melancólica. Logo no primeiro leito, o susto. Um paciente como o do pesadelo. Agonizante como no pesadelo. Como quem espera um fantasma, assustou-se com alguém ao seu lado. Doutor, o que eu faço?, perguntou para o médico que a olhava com ar indefinido.

O naufrágio

Ao estrondo seguiu-se quase que de imediato o grito das sirenes. Tripulantes com olhos arregalados e apitos estridentes abanavam os braços apontando caminhos e dando comandos que não se podiam entender em meio a tanto tumulto. Vozerio, gritaria e sirenes cessaram apenas quando a voz do comandante se fez ouvir pelos alto-falantes.

– Não está acontecendo nada. É só um barulhinho. Uma balançadinha do navio. Quem é forte como um atleta nem vai sentir os solavancos. Voltem a fazer o que faziam.

Tripulantes passaram num instante da face tensa aos sorrisos. Alguns hesitantes. Outros forçados. A maioria largos e meio exagerados.

Alguns passageiros queriam saber o que foi aquele barulhão. E os solavancos, que não paravam. Outros os mandavam calar a boca.

– Não ouviu o Comandante? Não foi nada. Quer saber por quê? Não é você que está no comando. Deixem o Comandante comandar!

O clima ficou mais tenso quando um sujeito molhado da cabeça aos pés apareceu.

– Água! Água! Está entrando no deque inferior! – repetia.

– Os botes! Para os botes! – gritavam alguns.

Um sujeito de paletó e com um livro na mão gritava do alto da sacada do quinto deque que quem tinha fé não precisava de bote. Outros diziam que não entrariam em bote nenhum, porque eram feitos na China. Pouco importava a discussão, pois não havia botes.

A notícia de que a água entrava cada vez mais rápido se espalhou. Os tripulantes já falavam em mortos nos deques inferiores. Mentira!, retrucavam alguns.

– Se o problema é a água, guarda-chuvas protegem da água. Ninguém se molha com guarda-chuva!

– Que besteira! Sou engenheiro e por isso eu sei. Guarda-chuva não funciona para isso.

– Eu também sou engenheiro. Ajudei uma pessoa a atravessar pelo corredor do segundo deque com um guarda-chuva. Ele não se molhou com a água que caía do teto. Por isso eu recomendo o uso de guarda--chuva. Inclusive de forma precoce.

O Comandante apareceu de guarda-chuva em riste.

– Eu me molhei. E daí? Esse negócio de bote é besteira. Não vou pedir bote nenhum. Tem que usar o guarda-chuva nisso daí. Tem também a capa de chuva, que funciona. Tem que usar antes de entrar na água.

Muitos passageiros não acreditavam no Comandante. Ainda mais quando perceberam que os que se aventuravam pelos deques inferiores com capa e guarda-chuvas não voltavam. Aflitos, se perguntavam o que seria deles sem botes e por que o Comandante insistia em não tê-los.

Tripulantes diziam que era por vaidade. Só se é comandante se houver um navio. Em botes, há muitos comandantes. Cada um governando o seu. Outros diziam que era por ignorância, por não saber para que servem os botes ou por não querer saber da gravidade do acidente. Outros, ainda, achavam que era só maldade mesmo.

A água já tomava vários deques e os mortos eram contados em números assustadores. Todos estavam amedrontados e o Comandante parecia desacreditado. Os passageiros da primeira classe exigiram que o Comandante tomasse uma atitude.

Tomou. Organizou um jantar para a primeira classe. De sobremesa, permitiu que arranjassem seus próprios botes. A felicidade foi tanta que os aplausos abafaram os sons dos violinos, que tocavam alto para calar os gritos vindos da terceira classe.

Tá tudo bem por aqui

Gilberto não sabe até quando terá emprego. Salário reduzido. Gastos aumentados. Principalmente com bebidas. Sai de casa com culpa. Fica em casa com medo. Mas está tudo bem.

Vê notícias de gente que vai para festas. Que anda sem máscara e cospe na cara dos outros. Gente que não se aguenta de máscara brigando com gente de máscara. Gente que diz para ficar em casa brigando com gente que pergunta quem vai dar dinheiro para ela enquanto fica em casa. Mas está tudo bem.

É gripezinha! Morrem quinhentos. Todos nós vamos morrer um dia! Morrem mil. E daí, não sou coveiro! Morrem três mil. E daí? Morrem cinco mil. Vou fazer um churrasco! Morrem nove mil. Tem medo de quê? Enfrenta! Morrem cinquenta mil. País de maricas! Morrem cem mil. Vacina? Na casa da sua mãe! Morrem duzentos mil, trezentos mil... Gilberto parou de contar mortos. Mas tá tudo bem.

Tribunal que deveria dar a palavra final dos julgamentos dá novamente a palavra final do julgamento que já julgou. Mas a palavra final não é a palavra final, porque na semana que vem continua a dar a palavra final sobre outra coisa sobre a qual já dera a palavra final. E cabe recurso. Mas tá tudo bem.

O casamento, celebrado com juras de amor eterno, encontrou o fim da eternidade em um mês de confinamento. Sozinho, procura na internet com quem conversar. Acha gente entristecida. Cheias de si mesmas. Vazias de sentimento. Solidão conectada. Mas tá tudo bem.

Médicos medicam com o que outros médicos dizem que mata. Conselho de Medicina diz que o problema não é com eles. Cada médico sabe de si. Falta leito. Falta vacina. Falta oxigênio. Falta anestésico. Médico tem. Aguerridos. Heroicos. Outros, sem ciência ou racionalidade, guardam da medicina só o jaleco e a letra feia. Mas tá tudo bem.

Morreu a avó, a amiga de infância, o ex-cunhado, o cara esquisito e bafento do escritório, o amigo do amigo, o cara famoso, a atriz bacana. O primo está na UTI, o chefe respira com dificuldade, a moça da padaria pegou mas já está bem. Tá tudo bem.

Passa horas e mais horas na internet vendo dancinhas, dublagens, memes e lacrações. Sensacionalismos e pornografia. Muita pornografia. Coisas que minutos depois esquece, atropeladas por mais da mesma excitação visual. Sente que é perda de tempo. Faz de novo. Mas tá tudo bem.

Carne aumenta, arroz aumenta, gasolina aumenta, diesel aumenta, desemprego aumenta, dívidas aumentam. Governo não tem orçamento, dinheiro ou plano. Diz que vai fazer. Não faz. Diz novamente que vai fazer. Muda tudo. Fica na mesma. Empresários alimentados de conversa, promessas e vantagens pessoais aplaudem de pé. Outros perdem as empresas com a esperança. Mas tá tudo muito bem.

A casa está suja. Roupa acumulada no cesto. Ferro de passar quebrou. A geladeira vaza água. Louça suja sempre amontoada na pia. Mas tá tudo bem.

Fora de casa, a zona de uma gente perdida. Sem enxergar o futuro, pede pelo passado. E odeiam quem quer do futuro um passado diferente. Enquanto isso, no cada um por si, uns enriquecem sem culpa, outros empobrecem sem esperança. E morre-se. Morre-se muito. Mas tá tudo bem. Tá tudo muito bem...

Altos e baixos

O cansaço das noites maldormidas tornam o despertar uma brutalidade. É preciso força de vontade para superar a vontade de permanecer encasulada nas cobertas quentes. Amália é forte e disciplinada. Mesmo assim, é difícil para ela levantar-se hoje. Como foi difícil ontem. E antes de ontem. E antes.

Dias diferentes trouxeram um sono diferente. Cheios demais, esvaziaram o descanso da noite. Acorda cansada. Passa o dia cansada. Cheia de tarefas a cumprir e cheia de não saber como cumpri-las. A frustração dos pequenos fracassos destranquiliza a mente, que noite adentro remói falhas e faltas. Como se o malfeito na vigília pudesse ser benfeito no sono.

Dias e noites não eram assim. Havia o trabalho em casa com coisas de casa e o trabalho no trabalho com coisas do trabalho. Casa era lugar de comer, tomar banho, relaxar cada um na sua, deveres de casa e descanso.

O trabalho era lugar de reuniões, sorrisos marmorizados para gente que não queria estar ali, planilhas, textos insossos, competição imoral por promoção e devaneios eróticos que a mente inventa para suportar as convivências com corpos que agem como se não tivessem almas por dentro.

Em casa, sente-se ridícula em maquiar-se para a reunião on-line. Deixa a boca vermelha como quem vai beijar. Cílios alongados dão aos olhos moldura que disfarça o tédio. Elegante da cintura para cima. De pijama e calcinha de algodão furada da cintura para baixo. Verdadeira e banal da cintura para baixo. Dissimulada da cintura para cima.

Tudo é pela metade. Trabalho e descanso pela metade. Competição pela metade. Maternidade pela metade. Fantasias pela metade. Erotismo pela metade. Amália não se sente mais inteira.

Cada coisa tinha seu horário e lugar. Perdeu-se primeiro o lugar. Depois, a confusão. Tudo se embaralha no tempo que corre no espaço errado. Casa virou trabalho e escola. O escritório virou lembrança e fantasia.

Do sonho de outra noite maldormida veio a ideia de reorganizar o espaço para domar novamente o tempo. Olhou-se no espelho arrumada da cintura para cima e nua da cintura para baixo. Seria assim dali para a frente. A casa seria dividida em duas. Da cintura para cima, trabalho, concentração, competição, esforço e dissimulação. Da cintura para baixo, descanso, distração, entrega, relaxamento e autenticidade.

Nada mais de trabalhar na cama, só de pé. Nada mais de se excitar de pé, só deitada. Percebeu que lavar a louça, apesar de ser feito em casa, sempre foi trabalho. Que os abdominais só são trabalho quando se ergue o tronco. Que no sexo, estar por baixo é relaxamento e entrega e por cima é dominação e performance. Que para o filho, mais baixo que sua cintura, tudo é brincadeira. E que no trabalho, quem manda fica no andar de cima e na cadeira alta. E não é à toa que dizemos que o salário do chefe é alto em vez de grande.

Encontrou-se consigo mesma deitada. Em paz horizontal tão profunda que os medos, frustrações e expectativas tornaram-se apenas futilidades dos momentos verticais. Dormiu com a tranquilidade dos lugares baixos. Onde os dominantes do andar de cima não se atrevem a descer por medo de encontrarem a si mesmos.

Trabalhadores

Subiu na cadeira mesmo depois das irritadas advertências de sua esposa. "Arlindo! Você vai dar um jeito nas costas de novo! Deixa de moda e desce já daí!"

Maria tinha razão. As costas já não eram as mesmas. Doíam quando estava sentado. Deitado também. De pé, mais ainda. Desajeitadamente, insiste na troca da lâmpada. É teimoso. Sempre foi. Com a aposentadoria, piorou. Irrita-se por sentir-se inútil ao ser menos útil que antes.

Cresceu ouvindo que trabalho dignifica. Buscou dignidade a vida toda com a enxada nas mãos. Viveu sendo olhado sem ser visto. Quando visto, olhado com nojo. Mesmo assim, orgulha-se de ser trabalhador.

Maria cuida dos outros e da casa deles. Aprendeu que era seu dever cuidar de sua casa e de seu marido. É o que faz no tempo que sobra. Para cuidar de si mesma, nunca sobra tempo. Ganha o mínimo, que só dá para o mínimo porque junta com o mínimo que o marido ganha.

Entra em prédio bonito, mas só deixam usar o elevador de serviço. Tudo para ela é separado. Pratos, roupas e o banheiro onde os patrões não entram porque tem nojo, apesar de estar sempre limpo. Come em pé, na cozinha. Com sorrisos e a distância, os patrões dizem que ela é da família. Nunca ganhou um abraço.

Doutor Abelardo insiste em não trocar uma lâmpada em casa. Não por preguiça, mas por prudência. Tem consciência de que é desajeitado. Não nasceu para essas coisas, diz. Foi feito para as coisas que se fazem sentado em sala bonita, cheirosa e com ar-condicionado ligado no máximo.

Malu, sua esposa, não reclama. Já o conheceu assim. Para as tarefas domésticas há empregada, cozinheira, babá e o zelador do prédio que ganha um extra fazendo bicos. Aprendeu que a esposa é quem deve lidar com essa gente e administrar a casa. Fora de casa, ela gerencia muito mais gente.

O tribunal é um dos raros prédios bonitos em que Arlindo pode entrar, mas não gosta de lá. Entrou a primeira vez porque disseram que ele tinha roubado. Provou-se que era mentira. Mas sentiu-se ladrão só por estar ali, fora do seu lugar.

Agora era diferente. Processou o ex-patrão. Pela primeira vez na vida exigia alguma coisa. Arlindo queria o que a lei dizia que era seu, mas sentia-se desconfortável com a ideia de ter que exigir. Era como se estivesse ali novamente como ladrão. Ladrão do que era seu.

Esperava encontrar-se frente a frente com Doutor Abelardo. Para seu alívio, ele não foi. Mandou alguém no lugar. Advogado bem-vestido que lhe falou em acordo. Menos do que era devido, mas pagaria já. Se não aceitasse, o processo duraria uma eternidade.

Seu advogado achou pouco. Arlindo também. Barganhou. Aumentou um pouquinho. Não passaria disso, Doutor Abelardo estava sem dinheiro. Acabou aceitando um pouquinho mais que pouco. Mais para livrar-se logo daquela situação. Pegou a grana e saiu rápido, como se fosse ladrão.

Maria soube do processo só quando viu o dinheiro. Não gostou. Poderia perder o emprego. Uma traição! Ainda mais agora que Doutor Abelardo gastou tanto com a reforma da nova casa de Angra. Foi trabalhar apreensiva. Nada aconteceu naquele dia. Nem nos seguintes. Malu é quem cuida dessas coisas e ela não sabe das coisas do trabalho do marido, que nem Maria.

Jacarezinho

Estava no chão. Perdido entre a realidade e o pesadelo. Sem saber se acordou porque caiu ou se caiu porque acordou. Ainda entre o sono e a vigília, tentava dar conta de onde estava. Ao se levantar, escorregou a mão num líquido viscoso. Acordou de vez quando viu que era sangue.

Os tiros e explosões estavam mais próximos. Era melhor continuar no chão. Sentiu a perna. O sangue vinha dali. Um tiro esburacou a parede sem reboco e o fez, instintivamente, colocar as mãos sobre a cabeça, como se pudesse fazer delas um capacete.

Mexeu a perna para saber se o ferimento era grave. Não era. Tiro de raspão, pensou aliviado. Ouviu os passos de alguém que corria. "Para, vagabundo!" Mais tiros e silêncio. "Ali, ali. Entrou ali. Vai!" Pelo barulho de pontapés em porta de ferro, concluiu que estavam entrando na casa de Amélia, sua vizinha. Viúva e cozinheira das boas.

Gritos e mais tiros. Muitos tiros. Deviam vir de dentro da casa dela. Novo silêncio. "Vamos, vamos!" Tiros mais distantes. Tentou se levantar. Hesitou quando a dor aumentou. Insistiu. Estava preocupado com Amélia. Sentou-se na cama. O rasgo na perna doeu mais quando o viu.

Abriu a porta com cuidado. Os tiros estavam mais distantes, mas poderia ter alguém na viela. Policial ou traficante, não importa, armados e cheios da excitação do tiroteio, atiram do mesmo jeito no que os assusta. Saiu devagar.

Amélia estava sentada no canto da sala agarrada aos dois filhos pequenos, que choravam muito. Tinha o olhar arregalado e fixo na parede, como se um demônio pudesse sair de lá a qualquer momento. Perguntou se estava tudo bem. Ela apenas balbuciava alguma coisa. Chegou mais perto. Ela repetia uma mesma frase do pai-nosso.

Olhou em volta e viu o sangue saindo do quarto. Tinha um garoto morto entre a porta e a cama. Não sabia quem era. Com muita dificuldade e delicadeza, levou Amélia e seus filhos para sua casa. O tiroteio parou.

Viu as notícias na internet. Vinte e cinco mortos. Um policial. Os outros, bandidos. Porque quando se morre de tiro em favela, é bandido. Viu o de sempre. Gente de longe aplaudindo a chacina. Uns lamentando o número. "Morreu foi pouco." Outros contemporizando. Delegado dizendo que era operação inteligente para proteger crianças. Os filhos de Dona Amélia continuavam chorando.

Recebeu os policiais que foram pegar o corpo. Arrastaram-no para fora com indiferença e o colocaram em cima do lençol que tiraram da cama de Amélia. Um deles o encarou, peito estufado e queixo levantado. A mão sobre a coronha da pistola. Perguntou com voz firme:

– E você? Quem é você?

– Ninguém. Eu não sou ninguém. Não sou nada – disse, com medo de que percebesse o sangue em sua perna.

O policial ficou parado alguns segundos olhando para aquela figura preta e cabisbaixa que lhe parecia patética. Fez-lhe cara de nojo. Ao sair, bateu-lhe com o ombro e murmurou:

– Filho da puta...

Ele sabia o que aquele ódio significava. Um policial morreu. Teria volta.

Mães

Thiago parou para tomar um café. Estava cansado de perambular pelo shopping. Detestava shopping. Mas insistia em enfrentar o detestável. Era preciso comprar um presente para sua mãe. Aprendeu desde cedo, de aniversário em aniversário, de Natal em Natal, de dia disso e dia daquilo, que afeto se demonstra com o cartão de crédito e romaria em shopping.

O chantili deixou o café gorduroso, frio e meio aguado. Bebeu de uma vez, com raiva do café e de si mesmo por ter pago mais um tanto por aquela peruca branca na xícara. Estava tudo errado. O café e os sentimentos. Dia das Mães deveria ser para se comemorar o amor e não para gastar dinheiro e sentir raiva.

Dedilhou o celular em redes sociais lotadas de imagens fofas e textos melosos. Viu mensagens amorosas de gente asquerosa. Despudor sentimental em palavras que anunciavam sentimentos não sentidos. Como os protocolares cumprimentos natalinos que fazem perversos desejarem paz e felicidade aos que entristeceu antes e entristecerá depois da ceia.

Pediu outro café. E uma garrafa de água com gás, para tirar o sebo do chantili do céu da boca.

Pensou nos sentimentos e nos sofrimentos. Mensagens de amor deveriam trazer paz e esperança. Se fossem sinceras. Na sua formalidade festiva, são só imagens bregas e vazias de sentimentos.

É como se no despudor do dito por dizer, um silêncio bizarro fosse imposto. Silêncio dos afetos. Silêncio dos sofrimentos.

Como o silêncio das mães de lugares violentos, que perderam seus filhos para a violência.

Como o silêncio sofrido das mães de policiais deste país enlouquecido de violência. Orgulhosas, mas temerosas de que o abraço que dão no filho possa ser o último.

Como o silêncio das mães silenciadas por maridos, noivos e namorados que as espancam e matam movidos por seus orgulhos disfarçados de amor.

Como o silêncio das mães que não têm o que dizer porque colocaram o amor ao dinheiro, ao status e ao prazer acima do amor pelos filhos.

Como o silêncio das tantas mães e filhos que acompanharam a morte sufocante de quem se ama, assassinado pela ignorância e má-fé no enfrentamento à pandemia de covid-19.

Como o silêncio faminto e desesperado das mães que não sabem onde conseguir comida para seus filhos.

Como o silêncio de tantos silenciados pelo desamor que os exclui e mata por terem a cor errada, o corpo errado, o gênero errado, o nascimento errado, a nacionalidade errada, a religião errada e tantos outros erros que os preconceitos conseguem inventar.

Talvez fôssemos mais amorosos se, em vez de palavras bonitas, posts reencaminhados no WhatsApp e compras de presentes, fizéssemos um instante de silêncio reflexivo.

Desse silêncio, quem sabe, pudesse surgir algo mais transformador que uma mensagem bonita. Talvez uma oração sincera por quem sofre. Ou um abraço amoroso, mais valioso que o mais caro dos presentes. Talvez surgisse um "eu te amo" que valesse a pena e precisasse ser dito, porque sincero. Talvez nascesse por quem foi silenciado um amor como o de mãe, incondicionado.

Pagou o café e foi-se embora sem comprar nada. Precisava abraçar sua mãe. Já! Por amor e pelo amor. Só aquele abraço seria capaz de devolver-lhe a paz que o mundo lhe roubou.

O chão

Quando acorda, Renê duvida. Duvida de tudo. Até de que pense e exista. Mas sua dúvida não é um pensamento. É sensação que paralisa até o pensamento. A coisa só começa a melhorar quando põe o pé no chão. A certeza, ainda frágil, de que não cairá num abismo ao deixar a cama é sua primeira prova da existência do mundo e de um Renê para pisar nele.

O primeiro copo de café, daqueles grandes, tira o resto do corpo da letargia. No pão com manteiga derretida e geleia, Renê já está consciente de si mesmo, da realidade, das deliciosas sensações em sua boca e de que precisa fazer uma dieta.

Com a mão ainda engordurada de manteiga dedilha o celular. Só para relaxar a cabeça. Olha por olhar. Às vezes se flagra lendo uma mensagem motivacional ao lado da foto de uma bunda ao pôr do sol e se dispersa, mas a bunda rebolante do vídeo seguinte o devolve rapidamente ao vazio.

Renê se pergunta se a realidade das redes é real. Se tantos vivem nas redes e delas, então essa seria sua realidade? Se o real for o que está atrás das telas, então o real não se vê. Nem se sente. O real sumiu! As pessoas exibem corpos e pensamentos que não são seus, emoldurados com cores, sombras e vocabulários que não são seus. E o que é delas? E elas? Onde estão?

Concentrou-se no que sabia. Pegou um Uber até o trabalho. No caminho, revezava entre a paisagem e o celular. Esqueceu a paisagem quando viu uma modelo daquelas magras e elegantes. Que já foi contracapa de alguma revista e já posou para alguém famoso. Estava indignada porque os jornais chamavam de modelo a moça que cobrou mil reais para transar com o funkeiro que se jogou do alto do prédio.

Ela ganha dinheiro com sua beleza, mas não daquele jeito. Não topa. E tem medo que pensem que seu corpo esteja à venda. Nos comentários, alguns lhe davam razão. Outros não. Não a entendem, pensou Renê. A modelo sabe que ela não é quem ela é, mas quem acham que ela é. Não é *mimimi*, é luta existencial.

Almoçou vendo e ouvindo depoimentos em uma CPI. Senadores performáticos e ministros gaguejantes se engalfinhavam.

Renê entendeu que nela os fatos não importavam. Fatos são – ou eram – coisa do mundo real. Daquele concreto, que sabemos que existe quando colocamos o pé no chão e não caímos em um abismo. E que, tal como o chão, continua sendo o que é, indiferente ao que falamos ou fazemos em cima dele. O real das redes é diferente. Gelatinoso. Como é só imagem e som, muda sempre que alguém diz ou faz alguma coisa.

Os fatos estão às vistas. Concretos como quatrocentos mil mortos. Sufocantes como a falta de oxigênio. Confessos em vídeo com a clareza de quem diz que não vai comprar vacina e pronto! Negado por ex-ministro adoentado de medo. E tudo isso parece nada. Ninguém faz nada. Como se a realidade concreta tivesse se dissolvido numa enxurrada de coisas ditas.

Renê teve que deixar a sobremesa de lado. Perdeu tempo demais e o apetite prestando atenção à TV. Voltou para o trabalho olhando para o chão, só para ter a doce certeza de que ele ainda estava lá.

Vaidosos, bajuladores, idiotas e ambiciosos

Algum lugar do espaço. Próximo da Terra.

– A palavra é sua, Chanceler.

– Obrigado, Almirante! Senhores! Há muitos espécimes curiosos na Terra. No aspecto físico, são todos muito parecidos. Bípedes. Seus corpos possuem nove orifícios. Sete só na cabeça. Bissexuados, usam os orifícios para percepções, excreções, prazeres e procriação. Falando nisso, são capazes de procriar sem prazer e de terem prazer sem procriar. São desajeitados e fracos, se comparados com os demais seres do planeta.

Sendo seus corpos sem graça, optei por classificá-los segundo seu comportamento. Pode passar à primeira imagem, por favor? Obrigado!

Este é o vaidoso. Gosta muito de si mesmo e de gente que alimenta sua vaidade. Não importa para ele se elogios, sorrisos ou favores são sinceros. Não busca o amor dos outros. Ele só ama a si mesmo e só esse amor lhe é importante. Elogios apenas o confortam por reforçar a certeza tola do quanto merece o amor que tem por si mesmo. Próximo!

O bajulador. Esse adora adorar alguém. É oposto ao vaidoso, porque não se ama. Não ama de verdade ninguém, nem quem ele diz amar. O bajulador é vazio de amor porque é vazio de si mesmo. Elogia, imita e se submete na certeza tola de que fazendo isso receberá do bajulado um amor que não tem em si mesmo. Como se o amor viesse de fora e não de dentro. Pode passar, sim?

O terceiro tipo é muito interessante. O idiota. Ele se acha um sabichão, mas é só um idiota mesmo. É burro de dar dó. Tão burro que nem ao menos percebe que é burro. Cria ideias mirabolantes, sem lógica ou sentido, e as acha geniais. Vê conspirações e símbolos ocultos em todo lugar. Alguns desse tipo têm obsessão por sexo. Enche-se de orgulho por só ele saber da conspiração que ele mesmo inventou.

Estratagema que torna todos os outros idiotas aos seus olhos e ele mesmo genial aos olhos de gente ainda mais idiota que ele. Mas esse tipo não é mais inteligente que o cachorro que se orgulha de achar o osso que ele mesmo escondeu. Sim. Pode passar!

O ambicioso é o tipo mais perigoso. Menos pitoresco e tosco que os outros. Alguns são até bem inteligentes, mas usam sua inteligência para sobrepujar outros. Ama coisas como dinheiro ou poder, não pessoas. Não liga para leis. Nem para nada que não seja seu. Nem para ninguém, a não ser que lhe pertença. Para ele, pessoas são mercadorias. Tem prazer tanto no acumular quanto no destruir. Como o viajante que encontra alegria tanto na viagem quanto no destino. Por isso ele não para nunca. Também...

– Chanceler! Não há neste planeta pessoas amorosas, inteligentes e nobres?

– Há sim, Almirante. Mas são uns poucos, apenas. Cada vez menos levados a sério. Os ambiciosos é que governam, auxiliados por vaidosos, orientados por idiotas e aplaudidos por bajuladores. Matam-se uns aos outros, exploram-se, enganam-se. Calam as inteligências. Difamam quem fala de amor. Confundem justiça com vingança. Ganham dinheiro, corpos e poder destruindo vidas e natureza.

– Certamente é um planeta de degenerados. Na sua opinião, Chanceler, devemos destruí-lo?

– Não creio que seja necessário, Excelência! Já estão fazendo isso por conta própria.

Bactérias e teimosia

Pâmela leu que somos água, carbono, minerais e bactérias. Muitas bactérias. Teve náuseas ao pensar em bactérias no seu corpo. Sentiu-se um amontoado de coisas estranhas misturado a algo que pensa e sente. Muitas das vezes sem saber bem o que pensa e sente.

Tudo é frágil. Uma bactéria errada e o corpo disfunciona. Uma ideia errada e a alma flutua. E a de Pâmela flutua muito. Quando um corpo começa a cair, a carcaça vai primeiro. Depois as tripas. A gente sente esse descompasso como ânsia. Frio estranho na barriga. Quando a alma flutua é a mesma coisa. É como se planasse ansiosa num vazio de ideias e sentimentos incertos. Pâmela não gosta de se sentir flutuante.

A alma precisa de certezas para não flutuar dentro do corpo. Elas podem vir de dentro, de uma convicção inabalável. Que é só uma vontade teimosa que não larga uma ideia de jeito nenhum. Ou de fora, quando o que os olhos, ouvidos e tudo o mais que nos faz sentir coisas fora de nós mostram para a alma coisas com as quais ela consegue construir certezas.

É como se a alma digerisse o que o corpo engole pelos sentidos. Talvez por isso a gente diga, às vezes, que os fatos são difíceis de engolir. Sabemos que são reais, mas é como se não fossem. Não trazem a certeza das coisas que aceitamos quando a realidade é inaceitável.

Quando a realidade é absurda demais para ser engolida ou muda rápido demais para ser compreendida, a alma flutua em incertezas. E o corpo todo entristece. Murcha. E busca certezas como um faminto. Mas não as encontra na realidade difícil de engolir. Indigesta como um bolo de bactérias.

Pâmela só acredita no que teima em acreditar. E teima com as teimosias que já estavam lá, dentro dela. Ela sabe que nem todos têm as mesmas teimosias. E também que algumas teimosias são novas. Improvisadas para digerir novidades indigestas.

Ela acha suas novas teimosias na internet. Lugar em que todos falam, cantam e gritam suas teimosias.

Como um bando de músicos em que cada um toca seu instrumento como quer e repete a nota que lhe agrada. No furdunço, o som do outro é barulho incômodo quando não toca a mesma nota que a sua. Para tornar-se orquestra, uns querem eliminar quem toca diferente, outros querem um regente que ponha fim ao caos.

Ela quer os dois. E luta pelos dois. Cancela quem lhe agride os ouvidos e a alma com ideias indigestas. Ofende o jornal que lhe fala de coisas difíceis de engolir, como se lhe empurrasse uma colher cheia de bactérias pela boca. E aplaude seu regente preferido, faça ele o que fizer, diga ele o que disser.

E Pâmela chora, ri, odeia, ama e vomita ao sabor das teimosias. Sente-se inteligente, saudável e superior porque, teimando, a alma não flutua. Mas mesmo assim não consegue se livrar da ânsia. Talvez por saber – lá no fundo, bem no fundo, debaixo das teimosias – das tolas fragilidades da sua alma cercada de bactérias.

Um dia, as pessoas

Um dia, todo mundo estará imune porque estará vacinado. E não haverá mais medo de abraçar quem se ama. Nem de beijar na boca de quem se conhece pouco querendo conhecer mais. E não se terá mais aquele desjeito de não saber como cumprimentar quando se quer ser educado ou precise demonstrar felicidade pelo encontro.

Um dia, as pessoas vão se olhar umas para as outras com os olhos e não com as telas. E serão capazes de dizer, olhando nos olhos, coisas que vamos saber verdadeiras por percebermos os sentimentos por detrás deles. E sentiremos a presença verdadeira de gente verdadeira porque sente. E aquelas cujos sentimentos, pensamentos e ações não se harmonizam não nos incomodarão, porque sentir pessoas de verdade nos dará a certeza de que nós mesmos não somos de mentira.

Um dia, as pessoas saberão o que sentem e querem porque terão um amigo que lhes ouça sem julgamentos ou imposições. E, nesse dia, ninguém mais se sentirá sozinho ou escravo dos próprios sentimentos. E nesse dia, uma paz estranha, porque nunca antes sentida, desenhará sorrisos bobos nas caras de todo mundo.

Um dia, nas discussões de ideias, as pessoas serão capazes de discutir apenas as ideias. E não a julgarão se boa ou má pelo quanto se gosta ou desgosta de quem as teve. E, nesse dia, julgarão sem vaidades ou invejas porque entenderão que uma ideia não é boa ou má pelo quanto ela vai beneficiar quem pensa nela, mas pelo quanto vai beneficiar os outros. E a ideia continuará boa mesmo que tenha que se sacrificar por ela, porque nesse dia se terá entendido que o bem se faz com sacrifício pelo outro e não com o sacrifício do outro.

Um dia, as pessoas entenderão que política é entendimento e não vitória sobre quem pensa ou é diferente. E, nesse dia, ninguém mais ameaçará quem pensa diferente porque saberá que o futuro é para ser vivido junto e não só por quem pensa que nem a gente pensa. E, nesse dia, nos encontros amorosos, familiares e amigos falarão sobre seus medos e esperanças e, mesmo tendo medos e esperanças diferentes, continuarão unidos pelo seu amor.

Um dia, as pessoas perceberão que o sagrado não se compra nem se vende. E, nesse dia, não o buscarão para ter alguma coisa, mas para ser alguém melhor. E, nesse dia, terão entendido que o sagrado não está na igreja, templo ou terreiro, mas no amor e na comunhão, e que todo lugar onde haja amor é sagrado.

Um dia, as pessoas perceberão que o que as torna iguais não são suas ideias ou a maneira como vivem, mas o fato de serem todos capazes de pensar e de sentir. E, nesse dia, teremos uns pelos outros a compaixão de quem percebe que o outro sente e sofre da mesma maneira como cada um de nós é capaz de sentir ou sofrer.

Um dia, cada um de nós se olhará no espelho. E terá vergonha ou orgulho do que verá nele. E depois – e só depois – as pessoas farão esse dia chegar.

Livros para mudar o mundo. O seu mundo.

Para conhecer os nossos próximos lançamentos
e títulos disponíveis, acesse:

www.**citadel**.com.br

/**citadeleditora**

@**citadeleditora**

@**citadeleditora**

Citadel - Grupo Editorial

Para mais informações ou dúvidas sobre a obra,
entre em contato conosco pelo e-mail:

contato@**citadel**.com.br